Conjuration
amoureuse

DU MÊME AUTEUR

Aux Éditions J'ai lu

Amours sur le Don
Docteur Erika Werner
La passion du docteur Bergh
Brûlant comme le vent des steppes
Mourir sous les palmes
Aimer sous les palmes
Deux heures pour s'aimer
L'or du Zephyrus
Les damnés de la taïga
L'homme qui oublia son passé
La caravane des sables
Une nuit de magie noire
Le médecin de la tsarine
Amour cosaque
Double jeu
Natalia
L'amour est le plus fort
Le mystère des sept palmiers
L'héritière
La malédiction des émeraudes
Amour en Camargue
Il ne resta qu'une voile rouge
Bataillons de femmes

Titre original : *Die Liebesverschwörung*
© by Autor und AVA — Autoren-und Verlags-Agentur,
München-Breitbrunn, 1984
Herausgeber : Gustav Lübbe Verlag GmbH,
Bergisch Gladbach
© Éditions J'ai Lu, 1986, pour la traduction française
ISBN 2-277-02128-8

KONSALIK

Conjuration amoureuse

traduit de l'allemand par Claude NINGELGEN

Roman   **Flamme**

1

— Tu embellis de jour en jour, Carmencita. Comment fais-tu ?

Eberhardt von Bercken s'adossa en souriant à la paroi du box. La jument à la robe sombre baissa la tête. L'homme tendit la main vers elle et lui caressa tendrement la crinière. Comme elle cherchait sa main, il lui passa doucement le doigt sur le front.

On entendait les chevaux souffler, s'ébrouer. Une sensation de bien-être envahit Eberhardt, comme à chaque fois qu'il était dans l'écurie, près des chevaux.

Ici, il pouvait se détendre et oublier sa défiance. Avec les chevaux, aucun risque de trahison. C'étaient des animaux sensibles et fidèles.

Lorsque Fritz Meerkamp entra dans l'écurie, Eberhardt redressa le menton et dit, plein d'entrain :

— Alors, ma belle, nous allons travailler tout à

l'heure, sinon, tu finiras par t'empâter. Nous commençons demain, Meerkamp (il s'adressait au régisseur). Dans trois mois, elle fera sa première compétition. Il faut que nous la prenions en main.

— Demain, monsieur von Bercken. Eh oui, il faudra en passer par là. Laissez-moi faire.

— Vous voulez dire que je ferais mieux de m'occuper des problèmes administratifs, n'est-ce pas, Meerkamp ?

— Non, ce n'est pas cela. Si quelqu'un comprend quelque chose aux chevaux, c'est bien vous, dit Fritz Meerkamp.

Il savait de quoi il parlait. Il s'occupait déjà du domaine et du haras à l'époque du père d'Eberhardt von Bercken : il était alors à la fois régisseur, valet de ferme et entraîneur. Le vieux Bercken l'appelait parfois en plaisantant « Meerkamp-à-tout-faire ». Depuis sa mort, il assistait son fils cadet, Eberhardt, dans la mesure où son âge le lui permettait encore. Le fils aîné, Dietmar, avait fait des études de médecine et s'était installé comme chirurgien à Hambourg après avoir refusé l'héritage paternel. Tous les Noëls, on se contentait de lui envoyer un jambon. C'était à peu près le seul contact qu'avaient encore les deux frères. Ils étaient trop différents. Dietmar avait toujours été le préféré de sa mère. Eberhardt jouait les garnements pour attirer son attention, sans grand succès...

Lorsque le vieux Bercken mourut, Eberhardt abandonna ses études d'économie sans trop tergiverser et prit la succession. Sa mère était allée s'installer à Hambourg, près de son fils chéri.

Eberhardt se maria. Meerkamp avait assisté à l'arrivée de la jeune femme au domaine. Il y avait des guirlandes de sapin accrochées au-dessus du portail, et des fleurs partout. Eberhardt, pour respecter la tradition, l'avait portée pour passer le seuil de la maison. Elle ressemblait à s'y méprendre à la mère d'Eberhardt : une chevelure sombre, un air un peu distant et arrogant. Les yeux du jeune Bercken brillaient. A cette époque-là, ils étaient encore clairs et n'avaient pas ce voile de mélancolie et de tristesse... Il avait levé son verre en son honneur :

— Voici donc la nouvelle maîtresse du domaine de Bercken. Bienvenue à toi, Gabrielle ! Nous te souhaitons d'être heureuse parmi nous.

Et tous lui portèrent un toast.

— Vive Gabrielle !

Elle les remercia avec une amabilité un peu distante.

A vrai dire, les gens du domaine de Bercken ne l'avaient jamais aimée. Cependant, lorsqu'on apprit qu'elle attendait un enfant, son mari semblait si heureux que tous se réjouirent avec lui. Ce fut d'ailleurs la seule fois.

— Bon ! Au travail ! dit Meerkamp.

— A vos ordres, patron ! répondit Eberhardt.

Il sortit dans la cour. La brise du matin lui fouetta le visage ; l'air embaumait les œillets et les pins. Le domaine de Bercken était situé dans un petit parc planté d'épicéas et de pins, de bouleaux et de hêtres. Devant la demeure tout en longueur s'étalait un parterre de fleurs. Les prés et les pâturages débouchaient à l'horizon sur une forêt qui faisait, elle aussi, partie de la propriété.

Lorsque Eberhardt reprit le domaine, il fut confronté à de graves difficultés. Les changements qui s'opéraient dans l'agriculture imposaient de se spécialiser dans un mode de culture. Eberhardt avait investi toute son énergie et son savoir-faire dans cette entreprise. Un choix qu'il ne regrettait que rarement, lorsqu'il se sentait découragé, même s'il avait abandonné ses études pour se consacrer au domaine.

Les résultats étaient encourageants. Il aimait sa propriété, il y était heureux. Gabrielle ne l'avait jamais été. Il croyait alors que son mécontentement perpétuel passerait une fois que l'enfant serait là. Elle n'était pas issue d'un milieu aisé et pourtant, rien ne lui convenait jamais. Elle ne pouvait s'empêcher de dénigrer tout et tout le monde. Et surtout, elle s'ennuyait à la campagne.

Puis vint le fameux jour : c'était peu de temps avant la naissance du petit Bercken. Garçon ou fille, cela importait peu. Ce jour-là, Gabrielle lui annonça que cet enfant n'était pas de lui. Elle avait revu un jour son ancien ami...

— Je n'avais pas pris la pilule. C'est arrivé lorsque tu étais au congrès des agriculteurs, Eberhardt. Tu sais que nous passions par une phase difficile, tous les deux.

Elle s'était assise dans sa voiture et avait démarré aussitôt. Il ne s'était pas défendu lorsqu'elle avait demandé le divorce. Maintenant, elle était remariée avec l'autre. L'enfant était un garçon.

Depuis ce temps-là, les femmes n'existaient plus pour Eberhardt.

— Je suis un original, un vieux garçon grincheux, il faut se faire une raison. J'aime l'odeur des chevaux et du cuir, mais non les effluves que les femmes répandent autour d'elles.

Il se confiait en plaisantant à Michael Kringel, son ami de toujours. « Mike » Kringel, vétérinaire à Engenstedt, la sous-préfecture voisine, était l'ami d'Eberhardt depuis l'enfance, même si leur amitié avait souffert par le passé de quelques interruptions. Ils avaient fait leurs études dans des villes différentes. A ce moment-là, Kringel avait adhéré à une corporation d'étudiants, adeptes de l'escrime, ce qui lui avait valu deux cicatrices impressionnantes sur le front.

— C'est mon look de pirate ! disait-il.

Ils se perdirent encore de vue lorsque Mike Kringel passa deux mois avec une fille, mi-pute, mi-stripteaseuse, à laquelle il avait trouvé un certain charme et de fort belles mains...

Lorsque Gabrielle vivait au domaine de Bercken, Mike Kringel ne venait guère. Les manières condescendantes de la femme d'Eberhardt l'ennuyaient. Cette absence de son ami ne déplut pas à Eberhardt, qui connaissait sa puissance de séduction. Mike Kringel était un vrai Casanova. Eberhardt, déçu par sa mère et par sa femme, en avait assez du beau sexe et vivait seul. Mike

11

Kringel, quant à lui, aimait tant les femmes qu'il préférait demeurer libre pour chacune d'entre elles. Sa devise était : pourquoi, à cause d'une seule, être perdu pour toutes les autres ?

— Quand je rencontre une belle femme, je prends le vent et mon cœur se met à battre, mon vieux. C'est là le plus élémentaire des instincts pour le chasseur : chasser, puis savourer sa proie. N'importe quel homme a ça dans le sang. Ne me dis pas que tu ne sais pas ce que c'est, Eberhardt.

— Eh bien, dans ce cas, je te souhaite bonne chasse. Mais moi, je préfère tout de même rester un solitaire.

— Autrefois, on disait un vieux garçon.

— Toi aussi, tu vis seul. Nous en sommes donc au même point, non ?

— Si tu as l'intention de fonder le parti des vieux garçons, je veux bien en être le trésorier, Ebi.

— Ah, je t'en prie, ne m'appelle pas Ebi, veux-tu ?

Ainsi se soldait chaque tentative de l'un pour ramener l'autre dans le « droit chemin ».

Mike n'était pas d'une nature mélancolique. Il gagnait bien sa vie. Son pavillon lui plaisait, avec son jardin d'hiver et son verger, son gazon, parsemé de pissenlits et de pâquerettes — Mike n'aimait pas s'en occuper —, ses massifs d'arbustes. Cette maison était confortable, assez spacieuse pour lui permettre de recevoir.

Il aperçut sa sœur qui descendait de sa voiture

de sport. Il y avait longtemps qu'elle n'était pas venue le voir. Qu'elle était jolie !

— Laura !

— Mike !

Ils s'embrassèrent et se regardèrent en souriant.

Il la complimenta :

— Quelle forme !

— Tu n'as rien à m'envier.

— Entre. Depuis quand n'es-tu pas venue ici ?

— Et toi ? Il y a bien trois ans que je ne t'ai vu à Berlin, non ?

— A peu près. Mais alors, tu reviens ici après six ans d'absence... Tu as maigri. Tu as des ennuis ?

Elle s'était assise dans l'un des fauteuils en cuir blanc. Ses cheveux étaient aussi blonds que lorsqu'elle était encore enfant. Ils avaient la clarté d'un feuillage illuminé par le soleil. Elle avait un teint très doux, couleur de thé. Avec son petit nez, sa bouche bien dessinée, ses yeux en amande, couleur de ciel, elle était charmante. Elle portait un pantalon en cuir et un chemisier de soie rouge, qui lui donnaient l'apparence d'une star de magazine.

« Non, se dit Mike. Elle est mieux que ça, plus sensible. »

Les yeux de Laura s'assombrirent.

— J'ai quitté Frank, dit-elle. Cela faisait tout de même quatre ans que nous vivions et travaillions ensemble. Cela ne pouvait plus durer. Je ne connais personne d'aussi despotique que lui. Il m'a exploitée. En toute franchise, Mike, ce n'est pas simplement la tendresse fraternelle qui m'a incitée à venir te voir. Nous en avons déjà parlé au téléphone. J'ai quitté Frank. Je ne peux continuer à travailler avec lui dans notre cabinet de conseil fiscal. Qu'il se débrouille tout seul, ou avec une autre. Je voudrais que tu me dises si un conseiller fiscal a des chances de se faire une clientèle, ici, à Engenstedt.

Mike sourit.

— Evidemment. On fraude ici, comme partout ailleurs !

— Je t'en prie, Mike, je parle sérieusement !

— Ne t'inquiète pas, tu trouveras facilement à t'établir ici. La ville a bien besoin d'un expert capable et discret.

Laura ne put retenir sa question :

— Que devient ton ami Eberhardt ?

— Laura, regarde-moi !

Mike la dévisagea d'un air soupçonneux. Elle rougit beaucoup. A douze ans, elle avait été amoureuse d'Eberhardt. Lui, bien sûr, s'intéressait plutôt aux filles des grandes classes. Un jour, il l'avait aidée à remonter sa luge en haut d'un talus, en forêt. Un instant, il avait posé son bras sur son épaule. Le souvenir de cet instant n'avait pas quitté Laura pendant des journées entières. Puis Eberhardt avait fait ses études, Laura était partie à son tour travailler à Berlin. Mais elle avait gardé intact le souvenir d'Eberhardt. Quand elle pensait à lui, elle se sentait aussi émue qu'une petite fille. Elle rêvait de l'homme fort et protecteur...

Elle sourit, un peu gênée, et se ressaisit. Elle était adulte mais voulait préserver ses émotions d'enfant.

— Depuis que Gabrielle l'a quitté, il ne s'intéresse plus aux femmes, comme je te l'ai expliqué au téléphone. A ta place, je ne tenterais pas ma chance avec lui. Ta défaite serait assurée. Plus une fille est belle, plus il se méfie.

Laura mentit avec effort.

— Je n'ai aucune intention de ce genre. Je veux avant tout prendre des vacances. Renate va venir de Munich pour voir ses grands-parents, et nous irons faire la fête chez les Pluttkorten. Renate veut organiser une surprise-partie. Toi et Eberhardt, vous êtes invités. Qu'en dis-tu ?

— Ça ne marchera jamais. Eberhardt ne viendra pas, je peux te l'assurer.

— On verra bien. Les paris sont ouverts.

Laura sourit, écarta une mèche de cheveux de son visage et dit encore :

— Aurais-tu quelque chose à manger ?

— Je vous prie de m'excuser, très chère. Je manque à tous mes devoirs. J'ai des boulettes de viande industrielles qu'on pourrait accompagner d'une salade de pommes de terre. Comme dessert j'avais pensé à un yaourt dans son pot de plastique avec, en prime, un beaujolais corsé, servi dans un gobelet en carton. N'est-ce pas appétissant ?

— Ayez l'obligeance de me conduire jusqu'à la

table, monsieur. Qui pourrait résister à la perspective d'un repas aussi somptueux ?

En levant son verre, Mike dit :

— Je bois à ta chance, Laura ! Et à nos amours !

Elle but une gorgée de vin.

— Je te remercie, Mike. Je n'ai pas perdu tout espoir. A ta santé.

— Et comment vont les parents ? Ils n'ont pas le contact facile en ce moment, semble-t-il.

— Tu sais bien, Mike, que lorsqu'ils ne sont pas dans leur maison de Majorque, ils se laissent déborder. Papa écrit un nouveau roman. Maman suit ses cours d'aérobic, joue au bridge et s'occupe beaucoup de ses œuvres : kermesses et bals en tout genre. Ce qui suffit à les occuper.

— Je suppose que tu aimerais vivre un bonheur conjugal de ce genre ? Il te reste à trouver le partenaire idéal !

Elle se mit à rire.

— Tu as tout compris, Mike.

Il la regarda.

— Si vous tenez à faire venir Eberhardt à votre fête, arrangez-vous pour que ce soit Mme von Pluttkorten qui envoie les invitations. Et ne parlez pas de « surprise-partie », mais plutôt d'une « soirée ». Eberhardt est affreusement vieux jeu.

Laura se leva pour embrasser son frère sur le nez.

— Tu es gentil. Cela veut dire que tu es prêt à m'aider ? Tu sais, il ne me plaira peut-être plus du tout...

16

— C'est un sale grincheux, mais un grincheux sympathique !

Et Laura prit contact avec son amie Renate, à Munich. Renate appela sa grand-mère, Mme von Pluttkorten. Un jour plus tard, Eberhardt reçut un carton d'invitation.

« Cher monsieur von Bercken, c'est un peu dommage, ne trouvez-vous pas, que nous soyons voisins et que nous nous voyions si rarement. Je serais heureuse de vous recevoir à l'occasion d'une petite soirée que nous organisons chez nous. Venez mardi à dix-neuf heures. Tenue de soirée... ou décontractée. Mon époux et moi-même serions enchantés de vous voir. Avec mon cordial souvenir, Amélie von Pluttkorten. »

Eberhardt s'assit dans un fauteuil en soupirant.

« Dieu du ciel, comment vais-je pouvoir me sortir de ce guêpier ? Dieu sait qui ils auront encore invité ! »

Il redoutait ces guets-apens qui consistaient à lui faire rencontrer toutes les jeunes femmes du voisinage. Les vieilles dames du genre de Mme von Pluttkorten, Eberhardt en avait déjà fait maintes fois l'expérience, avaient un fâcheux penchant pour ce genre d'entrevues.

Il téléphona à Mike Kringel pour discuter avec lui de l'affaire.

— Allô ?

C'était une voix de femme. Ainsi, Mike avait à nouveau de la visite... Eberhardt n'arrivait pas à comprendre les raisons de ses succès.

— Je voudrais parler à M. Kringel, dit-il. Bercken à l'appareil.

Il entendit son interlocuteur respirer. Puis la même voix agréable répondit :

— Il est en train d'opérer un dogue assez agressif sous simple anesthésie locale. Je vais essayer de le joindre. C'est Laura à l'appareil. Laura Kringel.

— Euh... (Eberhardt toussota.) Laura ! Vous êtes dans la région ?

Sa réaction ne lui parut pas très spirituelle.

Laura, il s'en souvenait, avait été une jolie gamine, un peu jeune à son goût. Il se rappelait avoir fait de la luge avec elle. Elle avait des joues toutes rouges ce jour-là, un regard lumineux. Il en gardait une impression charmante.

— Euh... je... c'est-à-dire... Comment allez-vous ?

Cette conversation avec son grand amour de jadis ne commençait pas de façon très brillante.

— Je ne peux pas me plaindre, et vous ? Vous êtes dans la région pour les vacances ?

— Oui, si on veut.

— Bon. Je rappellerai plus tard.

— Est-ce que je peux lui transmettre un message, au cas où le dogue ne l'aurait pas encore dévoré ?

Eberhardt hésita un instant.

— Je voulais en fait lui demander s'il avait reçu lui aussi une invitation des Pluttkorten. Il était souvent invité chez eux, je crois. C'est peut-

18

être à lui que je dois cet honneur ! Vous venez aussi, Laura ?

— Euh... eh bien... en fait... probablement... A vrai dire, oui, j'y vais.

— Très bien. C'est tout ce que je voulais savoir. Faites mes amitiés au vétérinaire. Nous aurons l'occasion de nous revoir. A bientôt, Laura.

— Au revoir, Eberhardt.

Clac ! Les choses en restèrent là. La conversation avait été décevante et les débuts peu encourageants. Laura se sentit en colère. Cet Eberhardt était un imbécile et un prétentieux. Il n'y avait pas que lui au monde pour Laura Kringel ! Des hommes, on en trouve partout. L'Italie regorge d'Italiens, l'Espagne d'Espagnols et Engenstedt d'Engenstedtois ! Absolument ! En tout cas, elle allait se faire aussi belle que possible pour cette soirée. Il fallait au moins qu'il vît ce qu'il perdait !

Le lendemain, Mme von Pluttkorten l'appela :

— Bercken s'est décommandé. Il doit se rendre au Salon de l'agriculture, à Hanovre. Renate arrive à midi. Mon mari et moi-même espérons que vous viendrez nous voir avec votre frère, ce soir. Nous avons tout le temps de réfléchir à ce problème.

Mme von Pluttkorten était très élégante. Elle portait une jupe plissée noire et un pull vert pâle, *Pringle of Scotland*. Une coiffure recherchée mettait en valeur sa belle chevelure blanche aux reflets bleutés. A part un collier de perles et une bague ornée d'une perle, elle n'avait pas de bijoux. Bien qu'elle fût âgée de plus de soixante-

19

dix ans, elle avait un teint frais, qui ne trahissait pas son âge. Elle ne cherchait pas à se rajeunir. On aurait dit une actrice grimée en vieille dame.

M. von Pluttkorten était un homme d'une stature massive, un géant. Une petite moustache lui donnait un air de mousquetaire. Ses yeux gris étincelaient. Il avait une démarche de cavalier, le torse bien droit, les reins cambrés. Pour sa petite-fille, Renate, qui avait perdu ses parents toute jeune, il avait toujours été un merveilleux Père Noël.

Renate, debout à côté de ses grands-parents, accueillit les Kringel. Elle avait la grâce de sa grand-mère, mais elle semblait plus forte qu'elle, avec un visage de lutin. Des boucles brunes encadraient son visage. Ses cheveux frisaient naturellement, ce qui lui avait valu dans son enfance les moqueries de ses camarades : des cheveux frisés étaient, selon eux, le signe d'un esprit tortueux — et Renate devait admettre qu'ils n'avaient pas tout à fait tort.

Mike Kringel embrassa la main de Mme von Pluttkorten, Laura et Renate s'embrassèrent.

— Laura, tu es superbe !

— Toi aussi, Renate. Quelle chance de te voir chez nous, pour une fois !

M. von Pluttkorten embrassa Laura. Il aimait bien prendre dans ses bras les jeunes femmes, surtout lorsqu'elles étaient aussi jolies... Mike serra la main de Renate. La gamine aux cheveux ébouriffés qui ressemblait à un garçon, l'adolescente qui marchait toujours sur les pieds de ses

20

danseurs s'était métamorphosée en une jeune personne délicieuse.

Mike tenait sa main dans la sienne et la regardait. Puis il retira sa main, lentement, très lentement. Cette légère caresse le grisa. Laura lui parut si sexy qu'il décida de remettre à plus tard son rendez-vous avec Monika — une fille de la Caisse d'Epargne. Il voulait se consacrer à ce ravissant papillon à peine sorti de son cocon.

— Cela fait dix ans que nous ne nous sommes vus, dit-il.

— Ce qui ne vous a pas empêché de demeurer séduisant...

Ils quittèrent alors le vestibule aux meubles anglais et massifs et se rendirent dans un salon décoré dans le style Louis-Philippe. Même le tapis à fleurs était d'époque.

Il y avait du feu dans la cheminée. La pièce embaumait le bois. Une jeune fille vêtue de noir, avec un tablier blanc et une coiffe dans les cheveux, apporta une bouteille de sherry et des verres en cristal.

Laura avait l'impression de remonter dans le temps. L'endroit était un peu magique. On aurait dit que ce couple âgé avait réussi à préserver son petit univers, loin des agressions extérieures.

Ils dégustèrent la liqueur douce amère en grignotant des biscuits. M. von Pluttkorten remit une bûche dans la cheminée et s'empara du soufflet. Mme von Pluttkorten prit la parole :

— Nous sommes réunis ce soir pour aider Eberhardt von Bercken à sortir de son terrier. Il ne faut pas le faire souffrir, Laura. Il est encore échaudé par ses malheurs et il ne supporterait pas une autre déception. J'aimais beaucoup son père. Wilhelm et moi, nous avions de l'estime pour lui. Et puis, je connais Eberhardt depuis son enfance, même si nous n'étions pas très intimes. J'ai été peinée de l'inconduite de sa femme.

« Mon mari et moi, nous avons réfléchi à ce problème. Une petite ruse serait le meilleur moyen de réussir. Il nous reste une semaine avant la soirée. Son voyage à Hanovre n'est sans doute qu'un prétexte. En tout cas, il n'est certainement pas très important. Il ne veut voir personne. Pour lui, la moindre sortie évoque l'agence matrimoniale. Une agence qui n'aurait que lui à proposer à des hordes de femmes.

— Eberhardt ne tombera pas dans le piège, chère madame, dit Mike. Les hommes ont, en ce domaine, un instinct qui les avertit du danger. Je ne crois pas Eberhardt en danger, c'est pourquoi je participe à votre complot. Mais il faudra s'y prendre habilement.

Mme von Pluttkorten regarda son mari.

— Tu es d'accord, Wilhelm ? Je peux raconter cette histoire ?

Wilhelm von Pluttkorten acquiesça.

— Mais oui, Amélie. Finalement, j'ai joué un rôle assez important dans cette aventure, n'est-ce pas ?

Elle lui tendit la main et il la porta à ses lèvres.

— Par où dois-je commencer, Wilhelm ?

— Iphigénie avait du mal à mettre bas et

Waak, mon régisseur, faisait une fois de plus la sourde oreille. Il était compétent, mais il n'entendait que ce qu'il voulait bien entendre.

— Et toi, toujours impatient, tu as rejeté la faute sur Iphigénie et sur Waak. Tu devais tempêter comme un beau diable. Mon Wilhelm n'avait pas un caractère très accommodant, en ce temps-là... C'était un célibataire endurci, croyez-moi !

« A l'époque, il n'y avait encore que l'aile gauche de notre maison de construite. Mais Wilhelm, depuis qu'il avait hérité, avait transformé cette petite ferme en un magnifique domaine. Son meilleur ami s'appelait Hermann Ritter : c'était mon frère. Il est mort à la guerre. Notre domaine fut vendu et démembré. Il n'en reste rien. A cette époque, vers la fin des années vingt, Wilhelm et Hermann étaient inséparables. Ils chassaient ensemble, buvaient ensemble, et ils buvaient beaucoup... Ils avaient fait leurs études ensemble. Ils s'étaient bien juré qu'aucune femme ne viendrait troubler leur vie.

« Je venais à peine de rentrer de l'internat. Il me semblait miraculeux que le charme d'une femme pût un jour arracher ces deux-là à leur célibat.

« A Pluttkorten vivaient la femme de Waak, Hermine, et la servante Stine. A part elles, il n'y avait que des hommes. Cette vie de caserne avait un avantage : l'équipe de football, constituée des valets du domaine et dirigée par Wilhelm, volait de victoire en victoire. Elle pouvait espérer gagner un jour le championnat régional. Au village, on s'était habitué à la présence de Wilhelm. On appréciait le maître du domaine qui n'hésitait pas à mettre la main à la pâte. Au besoin, il montait sur la moissonneuse et liait les gerbes, aidait à la récolte des betteraves. Il était grand et athlétique, il avait un visage hâlé, bref, c'était un homme qui sentait le terroir et le tabac. Sa voix forte semblait faite pour commander. Mais ses yeux gardaient quelque chose de naïf. J'aimais ce caractère impétueux et je devinais qu'il avait le cœur tendre. Raconte la suite, Wilhelm.

Wilhelm von Pluttkorten sourit.

— Eh bien, je m'apprêtais à faire comprendre sans ménagements à Waak que nous ferions mieux d'appeler le vétérinaire. Lui ne voulait rien entendre. Un vétérinaire pour une truie qui mettait bas, on n'avait jamais vu cela ! Il accoucherait Iphigénie et en faisait une question d'amour-propre... A ce moment-là arriva mon ami Hermann, sur son alezan.

— Alors, vieux bougre, lui dis-je, tu sembles arriver comme un oiseau de malheur. J'espère que tu n'en es pas un !

— Ça dépend, répondit-il.

Un valet se chargea de son cheval et Waak retourna à la porcherie. Nous entrâmes dans la maison. Hermann m'expliqua :

— Nous sommes invités à Möllendorf. Voilà l'invitation. Les Möllendorf sont comme un oncle et une tante pour nous. Tante Alwine pense qu'Amélie devrait sortir. Notre bonne vieille

Wendevogel s'occupe bien d'elle, mais elle ne peut pas remplacer une mère. Et elle n'est pas du genre à aller à des soirées.

Je regardai l'invitation. Mon nom y figurait bien.

Je lui demandai avec méfiance :

— Comment se fait-il que tu sois en possession de mon invitation ?

Hermann était un petit plaisantin plein de ressources.

— C'est le facteur qui me l'a apportée. Tu ne vas pas exiger de ce pauvre M. Schmidt qu'il fasse tout ce chemin pour t'apporter ce mot !

— Samedi à vingt heures, smoking exigé, R.S.V.P. Nous voilà bien ! Tu y vas, toi ?

Hermann prit un air moqueur.

— Il faudra bien que j'y aille. Ne serait-ce que pour Amélie. Elle y tient beaucoup.

— Pourrais-tu m'expliquer ce que je suis censé faire à cette sauterie ? Je vois d'ici ce que ça va donner... Fricassée de volaille et vin doux, du sherry... Brrr, et pas la moindre goutte de schnaps. Moi, je préfère une bonne tranche de jambon avec du pain de pays... Et on ne pourra pas fumer. Ils organiseront peut-être même un concours de saute-mouton, en smoking ! Je n'arrive pas à me souvenir de ma dernière soirée en smoking.

— C'était quand tu t'étais fait exclure de l'université à Fribourg, pour cause d'ivresse publique !

— Vas-y avec ta sœur, Hermann, et fiche-moi la paix avec ces bêtises, veux-tu ?

25

Hermann se leva et joua avec sa cravache.

— Comme tu voudras. Si tu tiens à te ridiculiser aux yeux de tous, c'est ton affaire. Je dirai que mon ami Pluttkorten a peur des femmes...

Sa cravache siffla, et il tourna les talons. Je le poursuivis en disant qu'il s'agissait d'un chantage.

Je m'assis dans mon fauteuil favori. Mon père prétendait que c'était un cadeau du Sultan de Madagascar. Je regardai le mur couvert de trophées de chasse, rien que des dix-cors et des douze-cors. Ils y sont encore aujourd'hui, et j'ai gardé aussi le fauteuil du Sultan. Jupp arriva. Un vrai séducteur, originaire de la vallée du Rhin. Avec un sourire, il m'annonça la nouvelle :

— Iphigénie vient d'avoir sept ravissants gorets.

Tout était rentré dans l'ordre et j'avais pris une décision.

Amélie von Pluttkorten continua le récit :

— J'avais insisté auprès de tante Alwine pour l'invitation. Nous avons été élevés sévèrement, certes, mais nous n'étions pas stupides pour autant. Ce Wilhelm me plaisait ! Quant à lui, il m'ignorait ! Je n'existais pas pour lui. Il me saluait de façon distante et me regardait à peine quand il venait voir Hermann. En vérité, il se souciait moins de moi que de notre doberman, Frido...

Je fus déçue lorsque Hermann m'apprit que Wilhelm était décidé à trouver une excuse pour éviter la soirée de samedi. Je n'étais qu'une fille et devais me contenter de mes gammes au piano, de broder des napperons ou de parler français avec Mme Wendevogel. Mais ce Wilhelm allait voir de quoi j'étais capable ! J'élaborai un plan de bataille téméraire.

Laura, Renate et Mike Kringel se laissaient prendre au charme du récit. Ils croyaient voir arriver devant le perron de Pluttkorten la voiture de Hermann Ritter et de sa sœur Amélie. Amélie portait une robe rose plus longue derrière que devant, ce qui était la mode. Sa couturière s'était inspirée d'un modèle de la revue *Le miroir d'argent*. Franz, le majordome, se trouvait déjà sur les marches. L'air grave, il descendit l'escalier, s'avança vers son maître et lui remit un message. Wilhelm écrivait :

« Cher Hermann, je te laisse aller seul à cette charmante sauterie. Je serai au pavillon de chasse. Si tu en as le courage, rejoins-moi. Sinon, je te souhaite bien des choses, et surtout, sois gentil avec ces dames. »

Hermann hocha la tête et tendit le billet à Amélie.

— Lis, dit-il. Wilhelm a pris la fuite. Il n'y a rien à faire. Un bataillon entier de jolies filles ne parviendrait pas à le faire changer d'avis.

Il claqua la langue pour encourager le cheval. La voiture s'ébranla et descendit le chemin sablonneux qui conduisait vers le village. Lorsqu'ils arrivèrent à la lisière de la forêt, Amélie lui demanda de s'arrêter. Hermann se tourna vers elle et la regarda, l'air surpris.

— Qu'est-ce que cela signifie, Amélie ?

— Je descends ici.

— En pleine forêt ?

— Ce ne sont pas les lièvres qui vont me dévorer !

— Tu vas prendre froid.

— L'air est doux et de toute façon, j'ai pris ma cape.

— Et si tu te perds ?

— Ne sois pas ridicule, Hermann. Je connais la forêt comme ma poche, tu le sais bien.

— Tu pourrais faire de mauvaises rencontres...

— Oui, je pourrais tomber sur ce bandit de Wilhelm !

— Tiens, tiens... Eh bien, bonne chance, en ce cas ! Mais je ne peux que te mettre en garde. Je connais ce gaillard...

Et il partit. Amélie se retrouva seule dans la forêt. Elle grelottait, non pas de froid, mais d'excitation. Wilhelm ! Un homme qui fuyait à la seule vue d'une femme. Etait-ce possible ? Peut-être se fuyait-il lui-même parce qu'il savait bien, au fond, qu'une femme aurait tôt fait d'anéantir ses défenses. Il devait être tendre et s'imaginait sans doute que cette tendresse ne correspondait pas à l'idéal de l'homme viril auquel il essayait de ressembler. Un idéal qu'on lui avait imposé depuis sa plus tendre enfance...

La nuit tombait. Il faisait de plus en plus froid. Les corbeaux qui avaient tournoyé au-dessus des champs durant la journée regagnaient maintenant leurs nids. Une pénombre bleutée envahissait lentement la forêt. Amélie se glissa sans bruit vers le pavillon de chasse.

Elle vit une grande silhouette aller et venir derrière la fenêtre éclairée. Elle se cacha sous un noisetier. Elle se sentait très énervée.

Pour s'exhorter au courage, elle songea aux autres femmes de sa famille, qui s'évanouissaient quand elles entendaient un mot grossier, mais pouvaient rester des heures en selle. Elles s'occupaient des tâches ménagères, mettaient au monde beaucoup d'enfants, mais elles n'oubliaient jamais de rester conformes à l'image conventionnelle de la femme faible et gracieuse.

Soudain, la porte du pavillon s'ouvrit. Wilhelm von Pluttkorten sortit. Il était vêtu d'une veste de loden, il portait un pantalon et des bottes de cheval. Il avait un fusil de chasse sur l'épaule et un pliant sous le bras. Harnaché de la sorte, il passa tout près du noisetier et disparut dans les bois.

Amélie suivit Wilhelm en faisant le moins de bruit possible. Elle se glissait d'arbre en arbre, se baissait quand il se retournait. Il lui était de plus en plus difficile de ne pas le perdre de vue dans l'obscurité, plus dense à présent.

Tout à coup, elle sut où il allait. Au bord d'un champ de trèfles, il monta sur un affût de chasse. Elle fit un détour, se fraya un passage à travers le sous-bois qui se trouvait en face de l'affût et s'installa à l'abri d'un fourré.

Elle resta là un bon moment. Rien ne bougeait. Elle entendit un oiseau prendre son envol tout près d'elle. Une chouette lança son cri lugubre dans la nuit. Dans le sous-bois desséché, on entendait des craquements et des crissements de feuilles mortes. Le silence était trompeur. La nuit avait des milliers d'yeux et retentissait d'une infinité de bruits. Amélie avait peur. Que faisait-elle là ? Elle ne pouvait que se ridiculiser, quelle que soit l'issue de l'aventure. Que pouvait-elle faire ? Continuer à se cacher pour rester seule ensuite, lorsque le chasseur serait reparti ? Ou se montrer et affronter Wilhelm ? Elle avait agi sans réfléchir.

Elle était affolée, prête à se précipiter hors du fourré et à s'élancer vers lui à travers le pré, quand tout à coup...

Wilhelm von Pluttkorten était d'une humeur massacrante, là-haut, sur son affût. Il contemplait le pré qui s'étendait à ses pieds et la forêt silencieuse. Cette histoire d'invitation ne lui sortait pas de l'esprit. Il pensait aux commentaires que l'on ne manquerait pas de faire sur son absence. Il avait trop chaud et se sentait presque mal. Il pensa à Hermann qui ne l'épargnerait pas non plus, sans parler de cette gamine d'Amélie qui, depuis peu, le regardait d'une façon si étrange qu'il en était gêné à chaque fois. Alors, il préférait ne pas la regarder du tout, afin de ne pas se compromettre. Un jour viendrait où il trouverait un bon parti. Rien ne pressait... Ce qu'il avait jusque-là connu de l'amour avait été sordide... car il se refusait à courtiser une femme honnête s'il n'avait pas l'intention de l'épouser.

30

Il retint son souffle. Il venait de voir une ombre qui sortait du bois et traversait le pré. Wilhelm prit ses jumelles et sourit. C'était lui. C'était « son » huit-cors, une belle bête. Ses bois étaient en mauvais état, on pouvait l'abattre. Un vrai chasseur protège le gibier, il ne tue pas n'importe quelle proie.

Wilhelm leva son fusil et visa. Le cerf se tourna, offrant son épaule. Wilhelm tira. Le cerf s'écroula dans le sous-bois proche.

Au même instant, un cri retentit. Une femme chancelait au milieu du pré. Il la vit faire quelques pas, puis s'effondrer dans l'herbe.

Wilhelm descendit à toute allure de l'affût et se précipita vers le corps qui gisait là, inanimé. Il s'agenouilla près de la femme dont la respiration était à peine perceptible.

« Dieu soit loué, elle est vivante. Je ne l'ai pas tuée. »

Il regarda le visage.

— Amélie ! Que faites-vous ici ? Je vous croyais à cette soirée ! Amélie ! Je vous en prie, dites quelque chose !

Amélie avait si peur qu'elle craignit de s'évanouir pour de bon. Dans quel guêpier était-elle aller se fourrer ? Il allait bien finir par remarquer qu'elle jouait la comédie. Elle n'était pas blessée du tout.

Mais voilà qu'il déboutonnait sa robe et qu'il glissait sa main à l'intérieur ! Ses doigts sur elle... Il retira sa main et posa la tête sur sa poitrine. Elle s'efforçait de garder les yeux fermés. Quand elle était enfant et qu'elle devait faire la sieste, sa gouvernante, Mme Wendevogel, savait toujours si elle ne faisait que semblant de dormir. Elle lui disait de ne pas rouler les yeux, ce qui la trahissait.

Wilhelm se releva soudain, poussa un soupir et éclata de rire.

Il la souleva sans beaucoup de ménagements pour une jeune fille censée être blessée. Il la prit sur l'épaule. Ses jambes pendaient sur la poitrine de Wilhelm, sa tête reposait sur son dos. Il attrapa son fusil et se mit en marche.

Les événements prenaient une tournure qu'Amélie n'avait pas prévue. Elle avait voulu lui faire peur pour qu'il ne l'ignorât plus à l'avenir. Et elle avait aussi souhaité le punir d'avoir refusé l'invitation pour laquelle elle s'était donné tant de mal. Mais il en avait profité pour glisser la main dans son corsage...

Wilhelm continuait de marcher à travers le bois, son curieux gibier sur l'épaule. Lorsqu'ils arrivèrent près de la petite cabane que Wilhelm connaissait bien, Amélie voulut faire semblant de revenir à elle, mais il sembla ne rien remarquer. Au contraire, il accéléra le pas. Et elle qui s'était imaginé qu'il s'était penché sur elle avec émotion !

Elle tira le bout de son manteau. Etonné, il s'arrêta.

— Eh bien ? Vous êtes réveillée ?

— Il semble. Sinon, je n'aurais pas tiré votre manteau.

Il la déposa par terre. Qu'il était fort ! Une fois debout, elle hésita à feindre à nouveau l'étourdissement mais ne put s'y résoudre. Il la regarda. Ses yeux brillaient dangereusement.

— Mais vous n'êtes pas blessée !

— J'ai eu peur et je me suis évanouie. Vous m'avez tiré dessus.

— Ne racontez pas de bêtises, je n'ai pas l'habitude de tirer sur les petites filles. D'ailleurs, j'aimerais savoir ce que tu faisais chez moi.

— Je... je prenais l'air ! J'ai eu un malaise en chemin. Et alors... j'ai voulu faire une petite promenade. Oui, c'est cela. Je voulais me promener.

— En pleine nuit ?

Amélie décelait les invraisemblances de son histoire. Elle se mit à pleurer. Dire que Wilhelm von Pluttkorten avait même eu l'audace de la tutoyer !

— Comment se fait-il que Hermann te laisse traîner ainsi la nuit ? Viens, entre dans la cabane. Je vais chercher le garde forestier et sa femme, ils s'occuperont de toi.

Elle se mit en colère et cria :

— Qu'est-ce qui vous prend, de tirer ainsi sur les gens ?

Il respira fort. Le coup avait porté. Amélie s'en rendit compte et s'empressa d'ajouter :

— Je le dirai à mon frère !

Il la prit par la main et l'entraîna dans la cabane. Il la fit asseoir sur un banc inconfortable qui se trouvait dans un coin de la pièce, alluma la lampe à pétrole. Puis il se pencha vers elle et approcha son visage près du sien. Il la regarda. Amélie se sentait mal à l'aise. Lui était pâle.

— J'ai vu un huit-cors que j'ai tiré. Je l'ai touché, c'est sûr. Je suppose qu'il gît quelque part dans la forêt. Il avait les bois en mauvais état.

Elle se leva.

— Ai-je l'air d'un huit-cors aux bois abîmés ?

Wilhelm semblait furieux. Il en voulait à Amélie, à lui-même et à Hermann qui était sûrement en train de faire le joli cœur en grignotant des cacahouettes, à Möllendorf. Qui pouvait savoir ce que cette gamine avait derrière la tête ? Et Wilhelm von Pluttkorten redoutait les complications féminines. Il se sentait mieux dans l'odeur du tabac de pipe, de l'écurie et du fumier. Le parfum d'Amélie l'enivrait. Et pourquoi cette folle se pendait-elle à son cou en lui disant à l'oreille : « Ah ! Wilhelm ! » ?

Elle approcha ses lèvres de sa bouche. Il ne pouvait plus résister. Il l'attira à lui, la serra et l'embrassa.

Il se ressaisit avec peine, la prit aux épaules et la regarda avec attention.

— Je vais chercher Mme Knöbel, dit-il.

C'était la femme du garde forestier. Il sortit de la cabane. Amélie était pressée de rentrer avant qu'on n'eût remarqué sa longue absence. Elle vérifia sa tenue. Tout était parfait, sauf qu'elle avait perdu sa cape. C'était gênant, mais elle ne pouvait plus rien y changer. Elle se pencha et effleura la table de chêne sur laquelle Wilhelm avait posé la main un instant auparavant. Quelque chose se réveillait en elle, un trouble, un désir.

Elle baissa la lampe et se glissa dehors. La forêt, qui lui avait paru sinistre, semblait maintenant accueillante, amicale. Le mouvement des branches devenait complice, la nature semblait respirer l'amour.

« Comme moi, pensa Amélie. Maintenant, il me faut inventer une bonne excuse pour ma chère Mme Wendevogel. Bah ! je trouverai bien quelque chose. »

Toute cette affaire était très gênante pour Wilhelm. Il ne voulait pas avoir l'air ridicule devant son personnel. Et voilà qu'il devait réveiller en pleine nuit les vieux Knöbel et leur demander d'aller chercher cette demoiselle Ritter qui s'était perdue dans la forêt et qui les attendait dans la cabane. Quelle histoire ! Tout le monde savait qu'il était impossible qu'Amélie se perdît ainsi, elle connaissait le coin comme sa poche.

Wilhelm réveilla le couple en frappant au volet. Il leur dit d'une voix qu'il espérait assurée :

— Cette jeune personne avait l'air troublée.

Le garde forestier s'était levé et s'était habillé en vitesse. Il avait rempli ses poches de cartouches. Puis il était allé ouvrir. Ce fut un choc pour lui de voir ainsi le baron devant la porte. Il avait pensé au début qu'il pouvait s'agir d'un garde champêtre. Celui-ci aurait surpris un braconnier et venait lui demander son aide.

M. von Pluttkorten n'avait pas l'habitude de lui rendre visite au beau milieu de la nuit.

— Que se passe-t-il, monsieur le Baron ? Y a-t-il quelque chose d'anormal ?

— Vous ne croyez pas si bien dire, mon cher Knöbel. (Wilhelm respirait bruyamment.) Si vous saviez ce que vous ne savez pas encore, vous sauriez que je ne sais rien.

— C'est bien mon avis.

« Grands dieux, pensa Knöbel, M. le Baron a perdu la raison ! »

Il le regarda à la dérobée et se ravisa.

« Il doit être soûl. C'est sûr. Ces messieurs ont besoin d'un remontant à 45 degrés avant de partir chasser. Histoire de viser juste... »

— J'aimerais que votre femme s'occupât de la jeune dame, Knöbel, dit Wilhelm.

— Ma femme a ˉune crise de goutte. Vous n'arriverez pas à la tirer du lit, répondit Knöbel. Dans ces cas-là, elle devient invivable. Une vraie mégère.

Il répandait autour de lui une forte odeur de tabac et de vieux bois. Wilhelm hocha la tête.

— Bien, allons-y sans votre femme.

Ils se mirent en route à travers la forêt plongée dans l'obscurité et Wilhelm continua son récit.

— J'étais à l'affût d'un cerf, près du pré de trèfles, lorsque surgit un huit-cors. Je vise, je tire. Le cerf est touché et s'écroule dans le sous-bois. J'entends quelqu'un crier. La petite Ritter sort du fourré et tombe dans l'herbe. Affolé, je manque dégringoler de mon affût. Et voilà que maintenant, la fille affirme que je lui ai tiré dessus, que je l'ai prise pour du gibier! Moi! Vous pouvez vous imaginer une chose pareille?

Knöbel secoua la tête.

« Tout est possible », pensa-t-il.

— Et après?

— Maintenant, dit Wilhelm, elle est dans la cabane. Evidemment, elle avait peur de rester seule avec moi. Je voudrais que vous m'aidiez à ramener Mlle Ritter chez elle. Mais soyez aimable, Knöbel, pour que nous n'ayons pas d'ennuis. C'est clair?

— A vos ordres.

Lorsqu'ils entrèrent dans la cabane à peine éclairée, elle était vide. Knöbel pensa que son intuition avait été juste. Le baron avait forcé sur l'eau-de-vie. Puis il sentit flotter dans l'air le parfum d'Amélie.

— Elle est partie, dit Wilhelm. Connaissez-vous ce parfum?

Knöbel enleva sa casquette.

— Non, je n'entends rien à ces choses. Un ami de mon fils, à Braunschweig, se sert de « Cuir de Russie »...

— Quelle odeur! Il y a de quoi se sentir mal. Et elle a fichu le camp en replaçant la bouteille de schnaps sur l'étagère. Je suppose que c'est sa façon de me signifier sa désapprobation.

Il se laissa tomber sur le banc. Le banc où s'était assise Amélie. Il songea à elle, cette fois sans colère. Elle était bien jolie... Elle avait eu un geste charmant pour lui nouer ses bras autour du cou... Il regarda le garde forestier assis en face de lui.

— Knöbel, soyez sincère, pour une fois.

— Monsieur le Baron ?

— S'il vous plaît, répondez-moi franchement. Comment me trouvez-vous ?

— Pourquoi ?

Knöbel ne savait comment se tirer d'affaire.

— Croyez-vous vraiment que je lui aie fait si peur ? A-t-elle réellement cru que j'avais voulu lui tirer dessus ?

Knöbel ne savait que répondre. S'il disait la vérité, son maître lui en voudrait, et s'il ne la disait pas, il serait vexé... Il s'efforça de répondre avec tact :

— Monsieur le Baron impressionne peut-être les femmes ?

— N'importe quoi !

Wilhelm se prit la tête entre les mains. Cette petite Amélie n'avait pas eu l'air particulièrement impressionnée. Amélie... Quel joli prénom ! Il dut sourire.

— Passez-moi donc le schnaps et deux verres, Knöbel.

Il pensa à nouveau au moment où il avait posé la main sur son cœur. Il avait vu tout de suite qu'elle n'était pas blessée. Elle avait eu peur, c'était tout. Il l'avait trouvée si séduisante et si touchante qu'il avait éprouvé le besoin de la porter jusqu'à la cabane.

38

« En tout cas, elle a pris son temps pour protester ! »

Il but une rasade de schnaps.

— Ce n'est pas étonnant qu'elle se soit enfuie. Je n'ai peut-être pas été très délicat. Elle est tout de même la sœur de mon meilleur ami. Sa famille est une excellente famille. Elle-même est jolie, que dis-je, belle, spirituelle, charmante ! Mi-femme, mi-garnement.

Knöbel sourit et Wilhelm se sentit rougir.

Ils burent encore quelques verres. Ce fut une nuit sympathique et un matin difficile. Ils traversèrent la forêt, la tête chavirée et les jambes lourdes, à la recherche du cerf abattu.

Il faisait un temps superbe. Les rayons du soleil passaient à travers les branches des arbres et faisaient briller les gouttes de rosée. On sentait l'odeur âcre de la terre. Les deux hommes s'enfonçaient à chaque pas dans le sol détrempé.

Wilhelm von Pluttkorten s'arrêta soudain et donna un coup de coude à Knöbel.

— Mon vieux Knöbel, vous vivez dans la forêt depuis votre plus tendre enfance, et pourtant, il y a une chose que vous n'avez toujours pas comprise : à votre place j'éteindrais cette pipe puante quand je me promène dans la forêt par un matin aussi beau.

Knöbel tira encore une bouffée avant d'éteindre sa pipe.

— En tout cas, je préfère l'odeur de ma pipe au parfum de votre cabane !

Ce parfum évoquait aussi pour Wilhelm la

douceur d'une certaine peau, d'une certaine bouche...

— C'est une question de goût, Knöbel.

Mais il avait perdu son aplomb. Et la faute n'en était pas seulement au schnaps...

2

Amélie von Pluttkorten souriait à son cher Wilhelm. En la regardant, on devinait quelle jolie jeune fille elle avait été. Elle lui dit en plaisantant :

— Il n'a pas été si facile à conquérir. On prétendait qu'il préférait une belle jument à une belle femme ! Mon frère Hermann m'avait assez mise en garde contre lui ! Cependant, il accepta de m'aider. Ce sera la suite de l'histoire si cela vous intéresse. Pour l'instant, si vous le voulez bien, nous allons passer à table. Nous avons tous un peu faim, n'est-ce pas ?

Ils traversèrent le hall d'entrée. Wilhelm von Pluttkorten désigna son fauteuil de Sultan, puis, l'air important, il leur fit signe de s'approcher. Il ouvrit la porte du fumoir. Une atmosphère feutrée y régnait : il y avait du bois de chêne partout, beaucoup de cuir. D'épais rideaux occultaient les

fenêtres et un mur entier était couvert de trophées.

« C'est horrible, pensa Laura. »

Renate connaissait ce décor depuis son enfance.
Wilhelm von Pluttkorten sourit et leur fit remarquer des bois accrochés à la place d'honneur,
même si ce n'étaient pas les plus beaux.

— C'est lui. C'est le huit-cors de notre histoire,
dit-il. C'est un entremetteur original, n'est-ce
pas ? Et il a bien prouvé que je ne tirais pas les
jeunes dames, mais les cerfs !

La soubrette en tablier blanc et coiffe dans les
cheveux s'affairait dans la salle à manger. La
cuisinière des Pluttkorten, une femme restée
mince, apporta le potage de légumes. Vinrent
ensuite divers plats de charcuterie et du confit
d'oie, un pain de campagne, des rillettes et une
énorme motte de beurre salé. Pour accompagner
ces mets, un vin rouge bien corsé. Au dessert, une
charlotte aux framboises.

— Autrefois, je m'allumais toujours une pipe à
ce moment du dîner, dit Wilhelm von Pluttkorten. Mais aujourd'hui, on prétend le tabac dange-
reux et j'ai arrêté de fumer. N'est-ce pas, Amélie ?

— Oui, Wilhelm.

Il rit.

— « Oui, Wilhelm », ce fut son dernier mot !
Les femmes gagnent toujours... Auparavant,
j'avais tenté de me reprendre. Je m'étais enfermé
dans ma chambre, assis dans mon fauteuil préféré. Même mon bon Franz, mon serviteur, ne
pouvait me parler qu'à travers la porte s'il avait

quelque chose à me dire, ce qu'il détestait. Moi, j'étais bien embarrassé. Je tenais à ma vie de garçon... Prends garde à toi, Wilhelm !

Il se mit à rire et ajouta :

— Son parfum s'était dissipé lorsque je retournai à la cabane le lendemain et j'oubliai cette rencontre. Les choses reprirent leur cours.

— Je ne suis pas sûre qu'il faille raconter tout cela dans le détail, dit Amélie von Pluttkorten. Ce n'était qu'un exemple pour montrer comment on peut venir à bout même d'un vieux garçon endurci. Et Eberhardt von Bercken est de la même espèce. Il s'est replié sur lui-même après la déception que lui a causée sa femme. Et je suis convaincue que c'est un homme qui souffre.

— Ses raisons sont différentes de celles de votre mari, dit Laura. Eberhardt von Bercken est un homme expérimenté qui en a assez des femmes.

— Et puis, entre-temps, nous avons vécu une révolution sexuelle, chère madame. Nous avons perdu le vernis de l'ingénuité, dit Mike Kringel.

Il chercha chez Renate un signe d'approbation qu'il ne trouva pas.

— Le coup de la clairière ne marcherait plus aujourd'hui, grand-mère, dit-elle. D'ailleurs, notre ami est-il seulement chasseur ?

Elle interrogea Mike du regard.

— Il va rarement à la chasse, dit-il.

Mme von Pluttkorten réagit vite et avec énergie :

— Nous devons savoir faire preuve de souplesse et nous adapter à la situation. Il s'agit de savoir si nous souhaitons nous lancer dans un « complot ». Qu'en penses-tu, Wilhelm ?

— Les sentiments masculins sont immuables...

— Laura ?

— Je n'ai peut-être rien à y gagner, mais je n'ai rien à perdre non plus. Je suis donc d'accord pour le « complot ».

— Monsieur Kringel ?

— La chose m'est désagréable, je dois l'avouer. Mais c'est pour le bien d'Eberhardt et pour celui de ma chère sœur...

Mme von Pluttkorten l'interrompit.

— Alors, c'est oui ou c'est non ?

— C'est oui.

— Renate, mon enfant ?

— Grand-mère, votre histoire était charmante et j'aimerais revivre quelque chose de semblable. J'approuve donc le projet.

— J'ai l'impression d'avoir vingt ans, tout à coup, dit Amélie von Pluttkorten. Il faudra procéder avec tact et habileté pour ne pas tout gâcher.

— Tant pis pour lui ! dit Wilhelm von Pluttkorten. On ne m'a pas fait de cadeau à moi non plus !

— Comment faire ?

Renate et Mike avaient posé la même question en même temps.

— Peut-être devrions-nous tout d'abord écouter la fin de votre histoire, si cela ne vous ennuie pas, dit Laura.

Amélie von Pluttkorten sourit.

— En général, je crains plutôt d'ennuyer les

gens avec ces vieilles histoires. Aujourd'hui, c'est différent : pour mon plus grand plaisir, j'ai affaire à un public unanime.

Quand ils furent à nouveau réunis autour de la cheminée qui jetait sur les visages et les objets une clarté familière, ils apprirent comment, à l'époque, grand-mère Pluttkorten s'y était prise avec grand-père.

Oui, la vie continua tranquillement à Pluttkorten et pourtant, quelque chose avait changé pour le maître de céans. Il ne s'agissait pas de son cadre de vie, mais de son comportement... S'il passait autrefois des soirées solitaires à lire sa revue de chasse ou un roman de Fontane, à écouter la radio, avec une pipe et une bouteille de schnaps, il s'ennuyait à présent. Trois jours le séparaient encore de la prochaine soirée qu'il passerait — entre hommes — en compagnie de Hermann, et il s'impatientait déjà. Que lui arrivait-il ? Etait-ce la solitude qui lui pesait ? Etait-ce de la nostalgie ? Il secoua la tête, mécontent. C'était impensable...

Un homme, un vrai, avait besoin d'un ami, mais il ne pouvait devenir l'esclave d'une femme.

« Il ne manquerait plus que ça », pensa-t-il.

Il préféra se dire que sa mauvaise conscience lui avait joué un mauvais tour. Il avait effrayé cette pauvre petite Amélie Ritter avec son coup de fusil et il regrettait de s'être en outre montré désagréable à son encontre. Et maintenant, il n'arrivait plus à se débarrasser de cette idée : il

45

lui fallait se faire pardonner. Il se dit encore, rasséréné :

« Je sais comment me débarrasser de ma mauvaise conscience. C'est très simple et pas compromettant. »

Il fit atteler son cabriolet et partit pour Engenstedt.

Il se dirigea vers la droguerie du vieux Fiebig, mais ce n'était pas lui qui se tenait derrière le comptoir. Sans doute trouvait-il à présent cette tâche indigne de lui ? Une ravissante demoiselle qu'il avait l'impression d'avoir déjà vue quelque part lui demanda poliment ce qu'il désirait.

Il toussota pour se donner du courage et demanda d'une voix forte :

— Avez-vous un parfum à l'essence de fleurs ? Je voudrais une odeur fraîche, comme un jardin, l'été, après la pluie.

— Plusieurs pourraient convenir.

— C'est pour un cadeau, dit Wilhelm.

Il craignait qu'elle n'allât s'imaginer qu'il cherchait un parfum pour lui.

— Est-ce pour une dame jeune ou pour une personne d'un certain âge ?

— Jeune, très jeune. Et jolie...

Il rougit en prononçant ces mots.

— Des fleurs, un jardin après la pluie... Mmm... Je crois savoir ce qu'il vous faut.

Elle sortit un flacon d'un tiroir et lui en vaporisa sur le dos de la main. Dieu que cette situation était gênante ! Il aurait été prêt à acheter n'importe quoi, même de l'huile de vidange, pourvu

46

qu'il pût sortir au plus vite du magasin. Quand il respira le parfum, il se sentit troublé. Il faillit soupirer. Ce devait être ce parfum-là.

— Donnez-m'en une grande bouteille.

— Il s'appelle *Quelques Fleurs* (1). Voulez-vous que je vous fasse un joli paquet cadeau, avec un petit ruban rose, puisque c'est pour une jeune dame ?

Avant qu'il n'eût répondu, la femme du boulanger entra en coup de vent.

— Ce ne sera pas nécessaire, dit-il. Combien vous dois-je ?

Il empocha le flacon. Le prix lui parut astronomique. Il y avait de quoi nourrir ses poules pendant une semaine. Mais le parfum embaumait... Il était satisfait d'avoir mené à bien cet achat... compromettant.

Son calvaire ne s'arrêta pas là. Quand il voulut remonter dans son cabriolet, il se retrouva nez à nez avec son ami Hermann.

— Alors, vieux bougre, qu'est-ce qui t'amène en ville aujourd'hui ? Je croyais que tu venais seulement le jeudi. Tu es un homme à principes, non ?

— Il y a des moments où ta sollicitude devient pesante, répondit Wilhelm. J'avais des choses à faire, voilà tout.

Ils se serrèrent la main. Ce fut alors que Hermann se mit à humer l'air, à flairer comme un chien.

(1) En français dans le texte. (N.d.T.)

— Dis-moi, Wilhelm, depuis quand te parfumes-tu ?

Wilhelm rougit.

— Ne raconte pas de sottises. Tu connais mes goûts !

— Certes, mais mon odorat m'assure que tu répands tous les effluves d'une serre. Oui, ça sent la rose et le lilas. Wilhelm, mon vieux ! Que t'arrive-t-il ?

— Mais rien. Tu n'aimes pas cette odeur ?

— Ce n'est pas le problème...

— En fait, je veux offrir ce parfum à une jeune personne. Pour être précis, à ta sœur. Récemment, nous avons eu une... enfin, je ne sais pas si elle t'en a parlé. Je n'y suis pour rien, tu peux me croire, je te le jure sur la tête de mon cheval préféré ! Comme je lui ai fait peur, j'ai voulu lui offrir un parfum pour me faire pardonner. Que veux-tu, je ne suis pas un rustre, je connais les convenances.

Hermann hocha la tête.

— Comme tu voudras, mon vieux.

Wilhelm lui proposa :

— Tu pourrais lui apporter toi-même ce flacon, avec les excuses que je dépose à ses pieds. De cette façon, l'affaire sera réglée.

— Tu es cinglé, ou quoi ?

— Pour une fois que j'essaie de me conduire en gentleman, tu ne m'encourages guère...

— Il faut que tu ailles le porter toi-même et que tu t'excuses en personne.

— N'exagérons pas !

48

— Wilhelm!

Wilhelm regarda son ami d'un air suppliant.

— Hermann, tu sais bien que toute cette histoire me pèse beaucoup. Aide-moi un peu, je t'en prie!

En prononçant ces paroles, il glissa le paquet dans la poche de Hermann qui ne put s'empêcher de rire.

— Allez, dit-il, va-t'en avant que je ne change d'avis. Je dirai à Amélie que tu es désespéré et que tu la supplies de te pardonner.

— Raconte-lui ce que bon te semblera. A après-demain.

Il disparut rapidement.

Hermann se hâta de faire ses courses. Il était impatient de voir la tête d'Amélie quand il lui remettrait le parfum.

L'effet fut en vérité frappant. Amélie rougit et s'empara du flacon. Elle lui sembla très émue et il ne douta plus qu'elle ne fût amoureuse de son ami.

Hermann lui caressa les cheveux.

Surtout, ne le montre pas à Mme Wendevogel. Wilhelm te plaît, n'est-ce pas?

Elle baissa la tête et dit à mi-voix:

— Oui, Hermann... C'est affreux!

— Dans ce cas, avisons! Laisse-moi réfléchir. Mme Wendevogel part demain pour quelques jours chez sa vieille tante. Il ne faudrait pas que Wilhelm nous prît pour des imbéciles.

— De toute façon, il ne s'intéresse pas aux femmes, Hermann.

Son frère éclata de rire.

— Ce n'est pas mon avis. Il ne s'y intéresse que trop, au contraire. Mais elles lui font peur. Il redoute ses sentiments...

Amélie soupira.

— Ah! Si tu disais vrai! Oui, réfléchissons.

Leur plan, téméraire, promettait d'avoir du succès, car il était exactement adapté à la personne de Wilhelm von Pluttkorten.

Hermann Ritter se rendit dès le lendemain à Pluttkorten. Il laissa Jupp, le palefrenier, s'occuper de son cheval et entra dans le bureau de Wilhelm von Pluttkorten. Il le trouva penché sur des papiers et des factures, l'air sombre et soucieux. Wilhelm n'avait jamais beaucoup aimé la bureaucratie.

Il aimait son domaine, son bétail, et il aimait par-dessus tout Rudolf, son cheval pommelé. Il aimait la brise estivale et le vent qui faisait onduler les épis dans les champs. Il aimait sa liberté, son petit confort... Depuis peu, il éprouvait un sentiment nouveau, bien plus fort que tout le reste. Quand il pensait aux « premiers soins » qu'il avait donnés à Amélie, et à sa peau sous sa main, à cette bouche, à ces yeux, à cette odeur de fleurs, il se sentait bouleversé.

« C'est trop bête, pensa-t-il. Je ne sais pas assez apprécier les bons côtés de la vie. Une fée a croisé mon chemin, et je me comporte en mauvais génie. Je ne suis qu'un rustre, un sauvage tout juste bon à courir les bois. J'embrasse cette fille, et je m'enfuis, comme ça, sans un mot. Que peut-elle penser de moi ? Me méprise-t-elle ? Amélie ! »

Il se mit à graver son prénom dans le bois de son bureau. La gravure était profonde et il ne put la faire disparaître... De même, il ne parvenait pas à dissiper le souvenir de cette nuit. Cette nuit... Ce visage... Et cette voix... Tout cela s'était gravé en lui et le hantait. C'était tout à la fois une douleur et un délice trouble.

« Amélie ! Dire que je la connais depuis toujours, depuis le temps où elle était enfant. Mon Dieu, est-ce que je serais en train de tomber amoureux d'elle, comme ça, sans prévenir, au point de perdre tout bon sens ? Est-il possible d'avoir un tel coup de foudre ? Amélie est la sœur de Hermann. Il serait ridicule de lui avouer mes états d'âme. Personne ne connaît mieux que lui les sarcasmes dont j'ai l'habitude de gratifier les femmes. »

Il rougit en pensant à l'expression qui lui était si chère : « Je préfère une jument de bonne race à la plus jolie des femmes », ou quelque chose de ce genre.

Wilhelm s'était déjà assez trahi avec cette histoire de parfum. Et puis Amélie était bien trop jeune, trop vulnérable pour un lourdaud dans son genre.

« Le temps arrangera tout, pensa-t-il. Je ne me rendrai sous aucun prétexte chez les Ritter dans l'immédiat. Le mieux serait de partir en voyage pour une semaine quand j'aurai expliqué à Waak tout ce qu'il y a à faire. » Hermann entra.

— Que fais-tu là ?

Son ton n'avait rien d'aimable.

— Je voulais te raconter la réaction d'Amélie lorsque je lui ai remis ton parfum.

— Tu aurais pu me téléphoner. J'ai du travail.

— Bon, si tu le prends comme ça, je m'en vais.

— Ne fais pas l'imbécile. Assieds-toi. Alors... Qu'a-t-elle dit ?

Hermann se frotta les mains avec délectation.

— Pour être franc, rien.

— Que veux-tu que ça me fasse...

— Mais elle a souri... C'était un sourire qui aurait pu être celui de la Joconde ou de Sainte-Thérèse, si tu vois ce que je veux dire...

— Ah bon, elle a souri ?

Wilhelm eut du mal à s'empêcher de rire.

Hermann poursuivit.

— Puis elle a... Tu te souviens de la commode en chêne de l'entrée ? Elle en a ouvert le premier tiroir, elle a jeté le paquet dedans et l'a refermé d'un coup sec.

— Ah bon.

— Ensuite elle a disparu.

— Et elle n'a rien ajouté d'autre ?

— Non. Enfin, presque rien...

— A savoir ?

— Wilhelm, je ne pourrais en jurer, mais il me semble qu'elle a murmuré le mot « imbécile ». Elle a peut-être tout aussi bien dit « Cécile »...

— A-t-elle une Cécile dans ses relations ?

— Pas que je sache. On n'est jamais sûr de rien avec les femmes. Tu le sais aussi bien que moi, puisque chacun sait que tu préfères une belle jument à la plus belle des femmes.

— Ça suffit maintenant! Tu ne vas pas venir me déranger constamment en plein travail?

Hermann regarda la table et s'attarda sur le prénom d'Amélie que Wilhelm venait d'y graver. Wilhelm espéra que son ami n'avait rien vu et glissa une feuille de papier sur le nom qui pouvait le trahir. Hermann était sur le point de repartir.

— Je reviendrai quand tu seras de meilleure humeur dit-il.

En fait, l'objet de sa visite ne concernait pas directement Wilhelm. Il venait d'avoir une conversation avec deux membres du personnel de Wilhelm, avec Franz et avec Stine, la cuisinière. Un billet de banque avait changé de main au cours de cet entretien. Stine lui avait fait des courbettes, Franz avait pris l'argent sans dire un mot, mais avait cependant assuré Hermann de son aide. La somme était importante. Le « plan Wilhelm » pouvait être déclenché.

Il s'en fallut de peu que tout ne tournât mal. Amélie ne voulait plus du plan.

— Il mériterait bien de mijoter un peu dans son jus, ce Pluttkorten, non? lui avait dit Hermann.

Il lui avait redonné du courage, quoiqu'elle eût encore quelques doutes.

— Pourvu que nous ne gâchions pas tout.

— Crois-moi, Amélie, je connais Wilhelm. Il a besoin d'être un peu remué ou il ne se passera jamais rien. Tu ne vas pas flancher juste avant de toucher au but ?

Elle soupira.

— Bon, je le ferai.

— Voilà qui est raisonnable. Viens un peu ici, que je te souhaite bonne chance.

Elle s'approcha et il fit un petit signe mystérieux destiné à conjurer le sort.

La rencontre eut lieu au village de Pluttkorten, chez les parents de Stine. Ils habitaient une petite maison flanquée d'un jardin, avec une basse-cour, des cages à lapins, une porcherie et des chèvres attachées au bord du chemin.

La famille possédait aussi un peu de terre. Et tous ses membres travaillaient de façon intermittente sur le domaine. Stine était la quatrième des cinq filles. Son père, Aurich, n'avait pas de fils.

La mère semblait inquiète. Elle désapprouvait l'initiative de Hermann.

— Espérons que notre petite Stine ne se fera pas mettre à la porte, dit-elle. S'il l'apprenait, Monsieur serait fou de rage. Il tient de son père, qui pouvait piquer des colères terribles.

Même Amélie n'était plus très sûre d'elle. Mais elle s'efforçait d'avoir l'air très calme et elle la tranquillisa.

— Ne vous tracassez pas, madame Aurich. Il ne s'agit que d'une petite plaisanterie inoffensive que mon frère et moi avons imaginée. Et le baron en rira lui aussi de bon cœur.

Pour achever de la convaincre, elle ajouta :

54

— Il s'agit d'une surprise pour son anniver-
saire.

Amélie venait de faire un pieux mensonge. Un
mensonge qu'elle trouvait justifié. N'agissait-elle
pas pour le plus grand bien de Wilhelm ?

Le personnage principal de l'opération sembla
soudain bien près de renoncer au rôle qui lui était
dévolu.

— Non, je ne le ferai pas ! dit Stine. J'ai trop
peur de M. le Baron !

Si elle ne s'était pas retenue, Amélie aurait
volontiers ajouté :

— Moi non plus, je ne le ferai pas.

Amélie, au contraire, fit remarquer à Stine avec
fermeté :

— Vous avez déjà accepté de l'argent...

— Je vais vous le rendre.

— Absolument ! Elle va vous le rendre, dit sa
mère.

Elle avait la grandiloquence et les accents d'un
chœur de tragédie grecque...

Amélie réfléchit. Cette fille semblait avoir vraiment peur et sa mère craignait que leur petit
complot ne coûtât sa place à Stine. Pourtant, il
n'y avait pas moyen de revenir en arrière. Hermann avait déjà téléphoné à Waak et l'avait mis
dans la confidence. Waak avait accepté...

— Je fermerai les yeux, parce que je sais que
vous ne feriez jamais de tort à M. le Baron,
monsieur Ritter.

Au téléphone, Waak parlait d'ailleurs d'un ton

mesuré alors que d'habitude, il hurlait aussi fort que les trompettes de Jéricho.

Amélie essaya de se souvenir des méthodes de sa chère gouvernante, Mme Wendevogel. Elle savait comme personne venir à bout de la petite fille rétive qu'Amélie avait été. Il fallait en imposer, aurait dit Mme Wendevogel. Amélie essaya de se grandir un peu. Peine perdue, Stine était plus grande et plus large qu'elle. Alors Amélie la regarda fixement et baissa le ton. Elle lui parla sans aménité :

— Stine, écoutez-moi. Et vous aussi, madame Aurich. Le baron vous a-t-il jamais vraiment observées ? Sait-il exactement à quoi vous ressemblez ? Vous ne lui manquerez pas, croyez-moi. Il vous suffit de me prêter vos vêtements et de disparaître un jour ou deux. M. Waak est d'accord et M. Franz ne fera pas de difficultés non plus. Vous allez me donner maintenant votre jupe, votre blouse, votre tablier et tout ce que vous portez d'habitude. Expliquez-moi en quoi consiste votre tâche.

Stine eut un sourire.

— Vous n'y arriverez jamais.

— Je saurai me donner un peu de mal. Pour que ce sacrifice soit plus facile pour vous, je vous propose un marché : je crois que vous aimez bien Jupp, n'est-ce pas ?

— Euh... Oui, c'est vrai.

Elle rougit.

— Et il n'arrive pas à se décider, si j'ai bien compris ?

— Il regarde les autres filles...

— Si vous me laissez prendre votre place au domaine pendant deux jours, je vous offrirai un trousseau complet.

— Oh !

— Je parlerai aussi à Jupp et j'essaierai de le convaincre. Le trousseau l'aidera sans doute à se décider. Surtout, gardez le secret. Vous aussi, madame Aurich. Votre mari est-il au courant ?

— Pensez-vous ! Les hommes, à mon avis, ne doivent pas être au courant de tout. Il n'a pas très bon caractère, vous savez.

— Bien. Nous pouvons donc commencer, dit Amélie.

Elle revêtit les habits de Stine qui étaient trop amples pour elle, mais grâce au tablier, elle réussit à donner à l'ensemble une allure à peu près convenable. Seule la jupe était trop longue.

— Surtout, faites attention à ne pas marcher dessus, dit Mme Aurich.

Amélie dut garder ses propres chaussures. Celles de Stine avaient quelques pointures de trop et, même avec des chaussettes, elles donnaient à Amélie une allure de clown, ce qui fit rire Stine.

Amélie emprunta encore un fichu de laine, puis elle enfourcha son vélo pour se rendre au domaine.

Son premier travail fut de faire bouillir les pommes de terre destinées aux porcs et de les réduire ensuite en bouillie, avec la peau, à l'aide d'un gros pilon. C'était difficile et fatigant mais elle ne se laissa pas décourager.

Dans une des sacoches du vélo, elle avait placé son flacon de parfum, qui était destiné à jouer un rôle déterminant dans son stratagème. Wilhelm, comme bien des campagnards, était très sensible aux senteurs. Le tabac et le cuir dégageaient pour lui un parfum « viril », la puanteur du pétrole de la lampe était « familière », l'odeur des chevaux « chaleureuse ». Quant aux porcs et au purin, ils « puaient la bonne santé ». Tous ces effluves correspondaient à des sensations et des sentiments précis, codifiés. Hermann et Amélie espéraient donc que la fragrance du parfum provoquerait chez Wilhelm un état d'âme bien particulier. Et Amélie d'asperger tout sur son passage vec le contenu du flacon ! Franz plaça même un mouchoir imprégné du parfum dans le bureau de Wilhelm. Lorsque la « nouvelle » Stine dut rapporter des légumes du jardin dans la cuisine, elle ne manqua pas de laisser derrière elle, hormis l'odeur du fenouil, de l'ail et du persil, d'autres effluves.

Wilhelm passa près d'elle, non loin des écuries. Le cœur d'Amélie battait. Si elle l'avait pu, elle se serait sauvée, ce qui aurait été se trahir. Elle ne bougea donc pas à son approche. Il lui sembla qu'il humait l'air. Il dilatait les narines, l'air surpris. Peut-être son imagination la trompait-elle ? Il se trouvait à présent assez loin d'elle.

Elle s'en alla le soir sans avoir obtenu le moindre succès. Elle rentra à vélo, toute courbaturée. Pourtant, comme tous les enfants, Amélie avait fait autrefois les moissons pour s'amuser, elle avait entassé des bottes de foin dans la grange et connaissait les travaux de la ferme.

Chez elle, elle prit un bain chaud, se drapa dans sa robe de chambre et se laissa tomber dans un fauteuil.

— Je n'y retournerai pas demain ! Le meilleur des hommes ne vaut pas ce sacrifice.

— Il ne manquerait plus que ça, dit Hermann. Amélie, tu ne peux pas abandonner maintenant. Si tu n'y vas pas, ce sera moi qui mettrai les vêtements de Stine. Parole d'honneur !

Amélie éclata de rire.

— Prends garde à ce qu'il ne tombe pas amoureux de toi !

Hermann se mit à rire. Il connaissait Amélie et savait qu'elle ne renonçait pas si facilement.

— Bien sûr que je continue ! Parfois, j'ai l'impression que tu cherches à te débarrasser de moi, comme si tu voulais te libérer de tes responsabilités à mon égard.

— A vingt ans, une jeune fille devrait avoir trouvé un mari. Ça n'a rien à voir avec mes responsabilités. Et puis, je connais bien Wilhelm von Pluttkorten. Je l'apprécie, c'est quelqu'un de bien. Tu arriveras à l'amadouer avec tes ruses de femme. Cela ne te ferait pas de mal d'être prise en main par une poigne virile.

Elle appuya la tête sur le dossier du fauteuil.

— Vous, les hommes, vous êtes impossibles ! Demain, on fait de la farine de pommes de terre, à Pluttkorten. Des femmes viendront donner un coup de main l'après-midi. Ce sera utile...

— Tiens bon, Amélie.

Hermann avait pris un ton paternel. Il tira une bouffée de son havane.

Le lendemain matin, Amélie dut balayer toute l'écurie. Ce fut à ce moment-là que les choses se précipitèrent. Elle passa près de Rudolf et lui passa la main sur le front. Le cheval la regarda de ses grands yeux doux. D'habitude, il était plutôt méchant, mais Amélie lui plaisait. Elle savait s'y prendre avec un animal difficile.

Les valets de ferme étaient en train de récolter les pommes de terre. Amélie entendit des pas derrière elle. Elle sut que c'était Wilhelm von Pluttkorten.

— Et bien, Stine, depuis quand oses-tu t'approcher de Rudolf ?

Elle se mit à trembler au son de cette voix. Elle se détourna et marmonna quelques mots vagues qui pouvaient passer pour un salut.

Wilhelm n'était pas de bonne humeur ce jour-là. Cette odeur de parfum qui imprégnait Pluttkorten l'obsédait. Il se demandait qui s'amusait à en asperger la ferme. Franz jurait qu'il recherchait l'auteur de l' « attentat ». C'était son expression. Jupp prétendait avoir monté la garde, sans succès.

Ce matin-là, Wilhelm s'était donc levé de méchante humeur. Il avait rêvé que les valets promenaient dans les champs, au lieu de la pompe à purin, de gigantesques flacons de parfum. Il s'était habillé et était sorti dans la fraîcheur du matin. Il avait pris une grande bouffée

60

d'air. La petite brise matinale qui soufflait de la forêt lui semblait très pure.

Il faisait frais, mais il aimait la limpidité de ces journées d'automne. Les mains dans les poches, il se dirigea vers les écuries qui étaient encore obscures. En fait, il voulait s'assurer que tous les vachers étaient bien à leur poste. Ils dormaient dans un réduit attenant, ou du moins, c'était là qu'ils étaient censés dormir, car ils ne prenaient pas très au sérieux leur surveillance de nuit.

Il entendit du bruit de l'autre côté de la cloison. Il y avait quelqu'un dans l'écurie ! Silencieusement, Wilhelm se dirigea vers l'écurie. Il s'arrêta et se posta dans un coin sombre. Une bouffée de parfum monta vers lui. Stine caressait le front de Rudolf qui, d'ordinaire, ne se laissait approcher que par lui ou par Jupp.

« Mais je rêve, se dit-il. Et Stine me semble différente. Ça ne peut être Stine, jamais de la vie ! »

La jeune fille se retourna. Un rai de lumière qui tombait de l'unique petite lucarne éclaira son visage. Wilhelm s'appuya au mur derrière lui.

« Mais c'est... Non, je ne rêve pas ! C'est bien Amélie Ritter. Quelle que soit la raison de sa présence ici, c'est bien elle, il n'y a pas de doute. »

Il s'avança vers elle, doucement d'abord ; puis d'un pas résolu.

— Eh bien, Stine, depuis quand oses-tu t'approcher de Rudolf ?

Elle tressaillit. Wilhelm sourit avec férocité.

Elle murmura quelques mots inintelligibles. Il s'écria :

— Approche un peu, Stine...

Elle s'avança vers lui avec réticence.

— Dis-moi, c'est toi qui empestes l'atmosphère avec cette odeur de parfum ? On se croirait chez un fleuriste.

Elle acquiesça sans dire un mot.

— Et d'où le sors-tu ? Je suppose que c'est cher. Est-ce Jupp qui te l'a offert ?

Elle acquiesça à nouveau.

— Tu ne sais plus parler ?

— Si.

— A la bonne heure. Tu n'ignores pas que Jupp est un sacré polisson avec les filles ?

— Oui, monsieur le Baron.

— Et tu t'en fiches, ou quoi ? J'espère que tu es une fille sérieuse !

— Oui, monsieur le Baron.

— Tu es jolie, qu'attend-il, ce nigaud ?

Il lui releva le menton. Elle avait l'air perdue. Lui se sentait victorieux. Son habituelle timidité avait disparu. Il se sentait bien, c'était tout.

Elle tenta de se dégager, mais il l'enlaça et l'attira contre lui. Puis il se pencha sur son visage. Il ne put s'empêcher de pousser un soupir en goûtant à nouveau à sa petite bouche vermeille.

— Vraiment très joli, tout ça. Je ne savais pas que j'avais un tel trésor au domaine. Tu es une vraie beauté, sais-tu ? Voilà qui confirme une fois de plus l'adage : « A qui se lève tôt le matin, Dieu aide et prête la main. » Si je ne m'étais pas levé si tôt aujourd'hui, je ne t'aurais pas vue ici. Je n'aurais pas découvert ces jolis yeux et cette bouche. Jupp a bien de la chance...

D'un mouvement brusque, il la serra tout contre lui. Elle se laissa aller dans ses bras comme si elle était évanouie, et elle ferma les yeux. Il l'embrassa longtemps. Il semblait ne plus vouloir s'arrêter.

Lorsqu'il relâcha enfin son étreinte, il lui donna une petite tape en disant :

— Bon, Stine, au travail. Nous n'allons pas batifoler ainsi toute la matinée ! Reviens demain à la même heure.

Elle s'enfuit en courant. Wilhelm sourit. Lui aussi était ému.

Amélie se réfugia dans le parc. Peu lui importait d'ailleurs où elle allait, au point où elle en était ! Elle appuya la tête contre un tronc d'arbre et se mit à sangloter. Elle ne s'était jamais sentie plus malheureuse. Il l'avait embrassée, bien sûr, mais il ne l'avait pas reconnue. Etait-ce possible ? Il faisait très sombre dans l'écurie... Elle frissonna.

Ainsi, tous s'étaient trompés sur le compte de Wilhelm von Pluttkorten. Ce n'était pas le sauvage qu'on croyait, mais un voyou ! Absolument ! Il embrassait les femmes sans les regarder et profitait des occasions qui se présentaient. N'était-il pas allé jusqu'à glisser la main dans son corsage, l'autre fois ?... Il avait fait mine de lui donner des soins d'urgence ! Il ne fallait plus penser à tout cela.

« Et moi, comme une idiote, j'y ai cru ! Et je ne me suis pas défendue aujourd'hui. Il aurait dû être mûr pour une demande en mariage, avec tout le parfum que j'ai gaspillé depuis hier ! Tu parles !

« Je m'attendais à tout, sauf à une scène de séduction. Je l'aurais plutôt vu s'enfuir... Mais pas du tout. Il est vraiment entreprenant. Et moi, je me suis laissé embrasser comme si j'avais été Stine. C'est incroyable ! »

Amélie n'oserait plus regarder Stine en face. Elle en ferait une tête, Stine, si Wilhelm la prenait soudain dans ses bras !

« Et il ne fera même pas la différence, se dit-elle. En outre, cette histoire va compromettre les relations de Stine et de Jupp. J'en serai la responsable, ainsi que Hermann. C'est lui qui m'a donné cette idée. Mon Dieu ! Je suis trop malheureuse ! Je vais rentrer à la maison et ne plus jamais remettre les pieds à Pluttkorten ! »

Hermann hocha la tête lorsque sa sœur lui raconta le fiasco qu'elle venait de vivre. Elle évoqua le baiser, sans trop s'appesantir. Dans son récit, c'était devenu un petit baiser furtif. Mais elle ne put lui avouer qu'il l'avait prise pour Stine.

— Je vais l'appeler et le sonder un peu, pour voir ce qu'il en est, dit Hermann. Tu sais, Amélie, j'ai l'impression qu'il y a quelque chose de louche là-dessous. Je serais assez tenté de croire que Wilhelm nous a joué la comédie pour nous punir de cette supercherie...

Le coup de téléphone n'apporta aucun nouvel

élément d'information. Ce fut Franz qui répondit. M. le Baron était parti et ne rentrerait que le lendemain.

— Où est-il allé ?

En posant cette question, Hermann s'attendait à obtenir des précisions de Franz, après le pot-de-vin qu'il lui avait donné. Franz se contenta de répondre :

— Je ne peux pas vous en dire plus, monsieur Ritter, pour la bonne raison que je n'en sais rien moi-même.

« Voilà un fieffé coquin ! » pensa Hermann.

Il était furieux et se promit de rendre à Franz la monnaie de sa pièce à la première occasion. Un serviteur qui ignorait où se trouvait son maître, c'était inconcevable. Franz en savait probablement plus que les autres. En temps normal, c'était une véritable agence de renseignements !

— Il est parti, dit Hermann.

— Ça m'est égal. Peut-être est-il allé rendre visite à des amis, en ville ? De toute façon, je ne veux plus jamais le revoir.

Elle avait envie de pleurer.

« Tout est fichu, complètement fichu », pensa-t-elle.

Elle aurait mieux fait de ne rien tenter. On lui avait pourtant appris à l'internat qu'une jeune fille bien élevée ne doit jamais faire le premier pas, ni même le second ou le troisième. Elle doit se contenter d'être jolie et d'avoir l'air innocente. Dans quel pétrin s'était-elle fourrée ?

Hermann lui tapota la main.

— Tu ne veux plus le revoir ? Allons, ma petite Amélie, on ne change pas de monture en chemin et on n'abandonne pas un projet en cours d'exécution. Il ne faut pas modifier notre tactique. Il suffit de l'adapter aux circonstances. J'ai à faire, maintenant. Ton Wilhelm me prend décidément beaucoup de temps.

— *Mon* Wilhelm ! Tu te moques de moi !

— Pas du tout, Amélie. Il est évident que tu vas y retourner demain. Il t'a donné rendez-vous, non ?

— Il a donné rendez-vous à Stine.

— Exact. Et Stine, en ce moment, c'est toi.

— Je n'irai pas. Il n'en est pas question !

— Je te dis que tu iras !

— Je n'irai pas ! En aucun cas ! Je veux bien parier avec toi ma collection de timbres.

— Il vaut mieux que tu la gardes, Amélie. Je sais que tu iras.

— Jamais, jamais ! Tu m'entends ?

Cette nuit-là, Amélie et Hermann eurent du mal à trouver le sommeil. Tous les deux étaient préoccupés par les mêmes pensées.

« Il y a quelque chose d'anormal dans cette histoire, se disait Hermann. Wilhelm a reconnu Amélie. Je sais bien que les femmes l'impressionnent. Il peut se montrer timide et naïf avec elles, mais ce n'est pas un imbécile. Et il ne devait pas faire si sombre... Partons du principe que Wilhelm sait bien qui se trouvait dans l'écurie, affublée des vêtements de Stine et parfumée. Wilhelm est incapable de méchanceté ou de mensonge, mais il a voulu rendre la monnaie de sa pièce à Amélie. Et je le comprends ! »

Wilhelm, qui connaissait bien Hermann, avait pu comprendre sur-le-champ de quoi il retournait. Tous deux aimaient bien la plaisanterie et tout se terminait en général par quelques verres de schnaps. Cette fois, Wilhelm n'avait pas voulu se prêter au jeu, voilà tout.

Il avait affecté de prendre Amélie pour Stine. C'était sa manière à lui de réagir.

Hermann n'était pas du genre à accepter une défaite. Il se demandait si Wilhelm avait refusé de lui parler au téléphone ou s'il était absent. Une phrase de Wilhelm lui donnait quelque espoir.

— Reviens demain, avait-il dit à Amélie.

Wilhelm n'était pas homme à parler en l'air.

« Il faut que j'arrive à persuader Amélie de jouer le jeu jusqu'au bout. »

Il s'endormit.

Amélie, de son côté, pensait aux mêmes événements.

« Wilhelm von Pluttkorten m'a reconnue. J'étais émue et j'ai cru à sa méprise. Parfois, je me demande si je connais les hommes... »

Lorsqu'il l'avait embrassée, son fichu avait glissé, dévoilant son visage. Elle avait vu ses yeux clairs de si près... Elle frissonna à nouveau. Elle se sentait faible.

Il lui avait donné une petite tape avant de la renvoyer. Elle s'agitait dans son lit, elle avait chaud. Elle se leva pour ouvrir la fenêtre. Le ciel était limpide. On voyait la lune. Les étoiles brillaient. Derrière la cour, les arbres du verger se balançaient au vent.

« Si seulement je ne l'aimais pas autant, tout serait plus simple. »

Elle appuya le front au montant de la fenêtre.

« Et dire que je ne peux lui avouer que je l'aime. Il se moquerait de moi. »

Wilhelm... Pourquoi avait-il agi ainsi ? Pourquoi l'avait-il renvoyée comme une servante ? Il ne lui avait pas été facile de jouer le rôle de Stine et elle avait eu peur quand il était entré dans l'écurie.

Sa tristesse fit place à la colère. Il l'avait reconnue, c'était évident. Il l'avait embrassée pour la punir.

« Il m'a traitée comme un objet, comme un déchet que l'on jette dans le caniveau. Il m'a embrassée, bien sûr, mais ce n'était pas à Amélie que s'adressait le baiser. C'était à une autre... »

Elle déchira son mouchoir et le jeta à travers la chambre.

— Wilhelm von Pluttkorten, dit-elle, je te préviens : j'aurai raison de ta tête de bois. Je vais prendre les choses en main... Même si je dois te suivre jusqu'au bout du monde, je saurai pourquoi tu me traites ainsi !

Elle rejeta la tête en arrière en faisant voler ses cheveux. Elle serait au rendez-vous, mais pas dans cet accoutrement.

« Demain matin, ce sera Amélie Ritter qui se présentera au rendez-vous. Absolument ! »

Une étoile filante traversait le ciel. Elle ferma les yeux et fit un vœu.

— Aime-moi, Wilhelm, je t'en prie...

Wilhelm ne parvenait pas non plus à trouver le sommeil. Il revoyait pour la centième fois la scène de l'écurie. Il repensait aux jambes d'Amélie. Il revoyait les chevilles et les pieds nus dans les sabots. Elle avait un joli corps mince, de belles épaules. Comme elle tremblait pendant qu'il la tenait dans ses bras ! Avec ses cheveux sombres, son teint pâle et cette bouche, elle était ravissante !

Wilhelm avait tardé à se coucher. Une vie nouvelle semblait l'attendre. Il avait le temps, pour dormir.

Il frappa du poing sur la table et se versa un verre d'eau-de-vie.

Amélie et son frère Hermann avaient peut-être voulu le mettre à l'épreuve, le tester ? Cette histoire n'était pas sérieuse et pourtant, il se sentait vexé et avait envie d'avoir sa revanche.

Il se mit à rire.

« Ils ont eu tort de me sous-estimer. »

Il regarda la gravure qu'il avait faite du prénom d'Amélie. Ce mot lui sembla magique. C'était le plus beau nom du monde. Elle était la plus jolie fille du monde. Penser à elle le bouleversait et il commençait à croire qu'il était amoureux.

Il prononça son prénom doucement, puis plus fort.

— Amélie ! ! !

Le lendemain, Amélie se leva et s'habilla avec soin. Elle mit une jaquette sur un chemisier blanc, une culotte de cheval. Elle avait l'air d'un garçon.

Elle fit seller son cheval et se mit en route. Un chemin sablonneux traversait les champs, elle le connaissait bien. La brise avait déjà quelque chose d'automnal, la terre sentait bon. Elle longea un champ de chaume. Au bord du pré encore noyé de brume, elle découvrit une cigogne attardée. L'oiseau fit quelques pas majestueux avant de s'envoler à son approche.

L'oiseau lui sembla de bon augure. On dit que les cigognes portent bonheur...

Amélie et sa monture parvinrent à la lisière de la forêt. Ils étaient déjà sur les terres des Pluttkorten. Enfin, ils débouchèrent au bout de la grande allée qui conduisait au perron de la maison de maître.

Que se passait-il ?

La maison était pavoisée. La rampe de l'escalier et l'entrée de la demeure étaient ornées de guirlandes de sapin et d'une multitude de fleurs. Il y avait des roses, des chrysanthèmes, des dahlias, des immortelles...

Des bougies avaient été placées derrière toutes les fenêtres, ornées elles aussi de guirlandes.

Amélie put alors déchiffrer ce qui était inscrit en grandes lettres rouges sur le fronton de la maison : « BIENVENUE. »

Dans la cour soigneusement balayée, on avait

placé la fanfare des pompiers, composée de trois musiciens.

Tous les habitants du domaine de Pluttkorten semblaient être là, en habits de fête, avec des bouquets de fleurs et des petits drapeaux dans les mains. Ils avaient l'air un peu gênés et faisaient semblant de ne pas avoir vu Amélie Ritter qui arrivait.

Seul Jupp s'avança vers elle et l'aida à descendre de cheval. Il lui demanda :

— Vous venez nous présenter vos vœux ?

— Comment cela, présenter mes vœux ?

— Nous nous marions !

— Vous et Stine ?

— Oui. Mais ce n'est pas tout. M. le Baron se marie aussi. Sa fiancée arrive aujourd'hui.

Amélie était comme foudroyée.

— Laissez, dit-elle.

Jupp voulait emmener son cheval à l'écurie. Les gens du village observaient la scène sans y prêter apparemment attention. Amélie était sur le point de remonter en selle lorsque Wilhelm von Pluttkorten apparut sur le perron. Elle resta là, le pied à l'étrier. Elle se sentait désespérée. Elle venait de perdre Wilhelm, ce misérable... qu'elle aimait tant !

Wilhelm von Pluttkorten était en habit de chasse et tenait un fusil à la main.

En pleine nuit, tout le domaine avait été saisi d'une activité intense. On avait sorti les valets de leur lit et leurs protestations n'y avaient rien changé. Ils avaient dû balayer la cour, débarrasser le parc des ronces et des arbustes indésirables. Jupp se chargea de ce travail, non sans jurer copieusement. Ils durent même installer les guirlandes dans les arbres de l'allée d'honneur. Puis ce fut le tour de la maison. Wilhelm von Pluttkorten était présent partout, il apparaissait ici et là, mettait la main à la pâte si c'était nécessaire et grimpait dans les arbres pour accrocher des guirlandes. Il escalada la façade de la maison pour y fixer d'autres éléments décoratifs. Franz se tenait prêt à intervenir, en bas, avec la mallette de soins d'urgence... Pour Jupp, cette matinée représentait la fin de tout un monde, un monde dans lequel il s'était senti bien. Il connaissait son maître et savait deviner ses humeurs ou ses actes. Mais ce jour-là, Jupp était dépassé par les événements.

Son maître lui avait en effet annoncé :

— Nous allons avoir une maîtresse au domaine de Pluttkorten.

Et ce n'était pas une plaisanterie ! Il y avait peut-être un peu d'affectation dans ses préparatifs mais Wilhelm semblait très résolu. Jupp n'avait encore jamais vu cette expression de joie sur le visage de son maître, ce mélange de folie et d'excitation. C'en était donc fini du bon vieux temps au domaine de Pluttkorten !

Jupp s'acharnait avec toute la hargne dont il était capable sur les buissons de ronces qu'il fallait arracher. Wilhelm l'avait surpris en train de boire une gorgée de schnaps qui venait de sa propre réserve. Il pouvait s'estimer heureux de ne pas avoir été renvoyé sur-le-champ. Il s'en tira avec une bonne réprimande qui eut pour effet de le faire travailler avec un acharnement jamais vu. Il ne tarda pas à retrouver sa bonne humeur et se mit à chanter son air favori : « Dis-moi pourquoi les bords du Rhin sont si beaux. »

Quand tout fut terminé, Wilhelm von Pluttkorten inspecta le domaine, parc et bâtiments, et se déclara satisfait. Tout était jonché de fleurs. Il y en avait dans la cour, dans la maison, dans la grande allée.

Wilhelm demanda à Franz :

— Mon habit de chasse !

Celui-ci l'avait déjà sorti. Il l'aida à s'habiller et sombra peu à peu dans la mélancolie. Bientôt, ce serait une autre main qui jouerait ce rôle, une petite main blanche.

Il se moucha.

— Eh bien, Franz, que se passe-t-il ?

— Je suis si heureux pour monsieur le Baron.

Franz avait baissé les yeux, sa voix s'était cassée.

— Merci, Franz. Vous savez bien que vous êtes indispensable ici. Et vous le serez encore plus à l'avenir. Quelque chose ne va pas, Franz ?

— J'ai une poussière dans l'œil...

Wilhelm von Pluttkorten sourit.

— Ce n'est pas très étonnant. Il y a des courants d'air, ici.

Franz se dirigea vers le bureau de Wilhelm et se versa une grande rasade du cognac préféré de son maître. Un cognac de huit ans d'âge. Il prit même un havane qu'il se réservait pour le soir.

Lorsque le jour se leva, tout le personnel se rassembla dans la cour pour ne pas rater cet événement exceptionnel : l'arrivée de la fiancée. La fanfare des pompiers était une initiative de Jupp qui, pour les décider, leur avait fait miroiter la perspective de pintes de bière à volonté.

Les premiers rayons du soleil atteignaient les frondaisons des arbres. L'horizon se teinta de rose. Les guirlandes et les fleurs brillaient comme de l'or et les oiseaux gazouillaient. Le domaine émergeait de sa torpeur. Les boutons de la veste de Wilhelm brillaient quand il sortit de la maison. Même le canon de son fusil étincelait comme de l'argent.

— C'est Mlle Ritter qui arrive, dit Franz.

Wilhelm se leva d'un bond.

— De quoi a-t-elle l'air ?

— Plutôt jolie.

— Comment est-elle habillée, imbécile ?

— Elle porte ses habits de chasse, évidemment.

Franz était curieux de savoir comment allait se terminer cette comédie.

Wilhelm poussa un rugissement censé exprimer sa joie. Il choisit une rose dans un vase, prit son fusil sous le bras et sortit au pas de course.

Wilhelm descendit les marches et se précipita vers Amélie qui semblait pétrifiée près de son cheval. Même les musiciens de la fanfare se figèrent.

74

Amélie se ressaisit. Elle se redressa, s'éclaircit la voix et dit :

— Pourquoi vous moquer de moi ainsi ? Je vois que tout est prêt pour recevoir votre fiancée. Je vous souhaite d'être très heureux. Adieu, Wilhelm.

Il lui tendit la rose.

— Un instant, s'il vous plaît. Je reconnais ce parfum. Pourquoi n'es-tu pas à l'écurie, Stine ? Je t'y avais pourtant donné rendez-vous ! J'attendais ce moment avec impatience !

Amélie baissa la tête. Elle rougit et s'en rendit compte.

— Tu croyais vraiment que j'étais assez stupide pour ne pas te reconnaître sous ton déguisement ? Comment as-tu pu croire une seconde que j'aurais organisé cette petite mise en scène pour une autre femme qu'Amélie Ritter, qui s'appellera bientôt Amélie von Pluttkorten ! Parole d'honneur !

Il posa un bras sur les épaules d'Amélie, passa l'autre sous ses genoux, la souleva et remonta l'escalier. Elle le tenait par le cou. Son autre main avait la rose qu'il lui avait donnée.

On applaudit. La fanfare attaqua la marche nuptiale, avec quelques fausses notes, mais l'intention y était.

Stine, la vraie Stine, était sortie de l'écurie où elle s'était cachée. Jupp la tenait par la main et il entonna avec les autres la marche nuptiale.

Wilhelm, portant toujours Amélie, entra dans la maison et ne la lâcha qu'une fois dans le bureau. Franz rôdait, la mine réjouie. Wilhelm le renvoya :

— Allez surveiller le poisson, dit-il.

Wilhelm prit Amélie dans ses bras. C'était presque la même situation que la veille, et pourtant tout était différent. Il lui dit entre deux baisers :

— Vous vous êtes bien moqués de moi. Je suppose que j'avais besoin d'être un peu secoué. Que tu es jolie ! Il faut que tu m'apprennes à être plus doux, moins emporté... Sache une chose, Amélie, je ne peux plus imaginer ma vie sans toi !

— Ne change pas, tu es très bien comme tu es.

Wilhelm la regarda. Il était sérieux pour tout, même pour l'amour. Cet amour le bouleversait tant qu'il ne savait comment l'exprimer. Son regard était si intense qu'il parlait pour lui. Amélie ferma les yeux.

On frappa. Franz entra d'un air solennel. Il tenait une coupe emplie de pain et de sel.

— Oui, Franz, dit Wilhelm. Pluttkorten a enfin une maîtresse.

Il rompit le pain et le plongea dans le sel. Puis il le tendit à Amélie. Ses yeux se remplirent de larmes, des larmes de joie. Tout avait commencé par un jeu, un jeu qui devenait grave, important... Ils seraient deux pour ce jeu-là.

Wilhelm posa la main sur l'épaule de Franz.

— Maintenant, vous devrez nous servir tous les deux, mon cher Franz. Veillez sur cette jeune femme qui sera bientôt mon épouse. Elle m'est très précieuse.

76

Des trompes de chasse sonnèrent dans la cour.

— Voilà les chasseurs, dit-il. C'est l'hallali. Viens, Amélie. Ils veulent te voir.

Ils sortirent à nouveau sur le perron. Les chasseurs, dehors, jetaient en l'air des pièces de monnaie et donnaient libre cours à leur joie. Hermann arriva au grand galop. Franz ne se laissa pas déborder par la situation; il resta calme malgré l'agitation. C'était lui qui avait téléphoné à Hermann pour le faire venir. Quant à Hermann, il jouait le rôle du père de la future mariée, et c'était très bien ainsi.

Hermann semblait enchanté.

— Rentrons dans la maison, dit-il, il faut absolument que je boive quelque chose. J'ai la bouche toute desséchée. L'émotion...

Ils se servirent et Hermann dit encore :

— Je lève mon verre à la santé du jeune couple.

— Merci, Hermann, dit Wilhelm.

Il pensait, en prononçant ces mots, à tout ce qui le liait à son ami. A tout ce qui les rapprocherait encore davantage...

— Tu nous a donné bien du mal, Wilhelm, dit Hermann.

Il souriait. Puis il se tourna vers sa sœur et dit :

— Qu'as-tu fait de ta collection de timbres, Amélie ? Tu as perdu ton pari !

— Tu te trompes, mon cher frère. Nous n'avons pas parié, parce que tu ne l'as pas voulu.

— De quoi est-il question ?

Wilhelm était déjà prêt à défendre Amélie qui se mit à rire.

— Ça n'a aucune importance, dit Hermann. Nous te raconterons ça à l'occasion, n'est-ce pas, Amélie ?

— Oui, dit-elle.

Wilhelm ne put se retenir davantage. Qu'importait si Hermann et Franz le voyaient ? Qu'importait que le monde entier les vît ? Il enlaça Amélie.

3

Les yeux de Wilhelm étaient humides. On le sentait très ému.

La vieille dame si gracieuse lui tendit la main et il la porta à ses lèvres.

— Nous ne l'avons jamais regretté, dit Amélie von Pluttkorten. Voilà ce que fut notre histoire d'amour. J'espère que nous ne vous avons pas ennuyés avec nos souvenirs !

Laura, Mike Kringel et Renate l'assurèrent du contraire.

— Rien ne vaut les expériences vécues, dit Mike Kringel.

En parlant, il ne regardait que Renate, ce qui lui était déjà arrivé plusieurs fois au cours du récit, surtout aux moments de tendresse. Il appréciait les femmes et, depuis quelque temps, il appréciait surtout Renate ! Il se demandait si elle était mariée...

Renate, de son côté, s'amusait beaucoup. Elle

avait bien vu que le frère de Laura cherchait à faire avec elle le numéro du séducteur. Elle était devenue indépendante par la force des choses. Sa mère, la deuxième des trois filles von Pluttkorten, avait épousé Peter von Sorppen. Renate était encore enfant lorsque ses parents avaient été tués par une avalanche. L'orpheline avait été élevée par ses grands-parents. Ses études terminées, elle s'était installée à Munich. Elle voulait devenir avocat pour exercer la même profession que son père, dans la même ville. Renate était fille unique.

Ses grands-parents s'étaient toujours montrés très compréhensifs avec elle. Comme les époux de ses deux tantes ne s'intéressaient pas à l'agriculture, ses grands-parents avaient donné le domaine en fermage à leur ancien régisseur. Il vivait sur le domaine, dans une jolie maison, et s'entendait bien avec ses maîtres. C'était un homme courtois et même prévenant. Pourtant, Wilhelm von Pluttkorten n'avait pas perdu tout espoir de voir une de ses petites-filles épouser un homme qui pourrait reprendre le domaine.

Il ne voulait que son bonheur, même s'il comprenait mal son besoin de liberté. Il lui semblait que ces jeunes femmes indépendantes rataient bien des choses dans leur vie. Elles n'avaient plus besoin de héros et c'était dommage. Wilhelm von Pluttkorten le regrettait, même s'il n'en disait rien. Il aurait craint de sembler rétrograde. Amélie s'adaptait mieux que lui à son époque.

— Je trouve votre histoire touchante, dit Mike. Je me demande si votre expérience peut nous servir... Qu'en penses-tu, Laura ?

Laura se laissa aller dans le fauteuil. Ses cheveux blonds s'étalaient sur le dossier. Elle était élégante et séduisante. Un teint bronzé, de beaux yeux bleus et une bouche bien dessinée. Un chemisier brodé de dentelles et une jupe blanche mettaient en valeur sa silhouette. Elle était charmante, même son frère en avait conscience.

Laura sourit.

— Une chose me paraît essentielle, dit-elle. Une femme doit rester féminine en toute circonstance et combattre avec ses armes.

— Vous me semblez bien armée pour ce genre de combat, Laura ! dit Wilhelm von Pluttkorten.

— Merci. Je vais peut-être tenter ma chance. Il doit être amusant de jouer les femmes fatales. Bien sûr, ce ne sera qu'un jeu, qui n'engagera personne. Ce serait déjà bien de réussir à faire sortir Eberhardt de son isolement.

Mike approuva de la tête.

— N'oublie pas que tu dois jouer le rôle principal dans le scénario que nous allons mettre au point. Tu serviras d'appât à cet affreux misanthrope, à ce misogyne.

— D'accord ! Il y a huit jours à peine, ma vie me paraissait morne et morose, j'étais triste et désabusée : je venais de quitter un homme que j'avais beaucoup aimé. Et maintenant, j'ai l'impression de revivre ! Avec votre aide, je ferai sortir Eberhardt de sa tanière.

— Ce sera à vous d'aller l'y chercher, dit Amélie von Pluttkorten.

Tous voulurent parler en même temps.

— Comment ça ? Dans sa tanière ?

— Laura devra aller chez Eberhardt ?

— Evidemment. Un appât ne fonctionne que si on le place à un endroit où la « victime » peut le voir et l'atteindre, c'est-à-dire le plus près possible d'elle, n'est-ce pas ?

— Comme vous l'avez fait autrefois en vous faisant passer pour Stine ?

— Si vous voulez... Mais il faudrait moderniser le procédé...

— Comment faire ? demandèrent Renate et Mike.

Et chacun de chercher, de lancer des propositions qu'on rejetait.

Laura avait l'air pensive.

— Peut-être pourrais-je aller le voir en me faisant passer pour une représentante en machines agricoles ?

— Ce serait invraisemblable, dit Amélie von Pluttkorten.

Tout à coup, Mike Kringel s'écria :

— Ça y est, Laura, j'ai trouvé. Ton idée de machines agricoles m'a mis sur la voie. Voici mon plan...

On l'écouta avec attention, on affina le plan de Mike en tenant compte des différents impondérables. Ils devenaient enthousiastes et téméraires, une fois les détails mis au point.

Renate se leva d'un bond en s'écriant :

— C'est génial, absolument génial ! Dire qu'il faut venir à la campagne pour vivre une chose pareille !

— Excuse-moi, mon enfant, lui dit son grand-père, ce n'est pas parce que l'on a la forêt devant sa porte que l'on est un rustre !

Renate se rassit.

— Je ne voulais pas vous blesser, dit-elle. Mais cela m'amuse tant ! Une conspiration amoureuse ! Nous venons de former une vraie conspiration !

Laura intervint, un peu gênée :

— Disons plutôt qu'il s'agit de sauver un homme trop solitaire, n'est-ce pas ?

— Si tout finissait par un mariage, nous ne nous y opposerions pas, non ? dit Mike.

Il souriait à sa sœur d'un air canaille.

— J'étais amoureuse de lui quand j'avais douze ans, dit Laura. Et s'il ne me plaisait plus ?

— Il a un cœur d'or, dit Mike. Il a besoin d'être un peu dégrossi, voilà tout. C'est un homme charmant, pour autant que je puisse en juger car je m'y entends mieux en matière de femmes !

A nouveau, il regardait Renate. Il dit encore :

— Eberhardt joue un peu les durs, mais c'est un brave garçon. Il n'y a qu'une chose qu'il ne supporte pas, c'est qu'on l'appelle « Ebi ». Pour ma part, je lui donnerais ma sœur sans hésiter.

Laura se mit à rire.

— Nous n'en sommes pas là.

Ils se levèrent.

— Mon Dieu, dit Laura, j'ai trop bu !

— Pour une conspiration pareille, mieux vaut

n'avoir pas les idées trop claires, dit Amélie von Pluttkorten.

Renate raccompagna Laura et Mike Kringel à leur voiture. En partant, Mike prit la main de Renate et la garda longtemps dans la sienne.

— Cela me rappelle Humphrey Bogart dans *Casablanca* quand il dit à Ingrid Bergman : « Je crois que c'est là le début d'une belle amitié. »

— Ah bon ? Il dit ça ? demanda Renate. Je ne m'en souvenais pas.

— Vous pouvez venir voir le film chez moi quand vous voudrez. J'ai beaucoup de bonnes cassettes vidéo. C'est ma passion. Oui, passez donc me voir. Téléphonez-moi. Si je ne suis pas en train d'aider une vache à mettre bas ou en train d'arracher une dent à un lion, nous pourrons regarder ensemble *Casablanca*. D'accord ?

— Voilà une proposition que j'accepte volontiers, dit Renate.

Bien sûr, Mike cherchait un prétexte pour rester seul avec elle. Mike Kringel était un dragueur séduisant et charmeur aussi, mais Renate le trouvait trop sûr de lui. Il connaissait ses pouvoirs et Renate avait envie de lui donner une leçon.

« Nous avons ourdi une conspiration contre ce pauvre Eberhardt von Bercken, pensa-t-elle. Mais moi, j'ai bien envie de monter un autre complot. Si ce cher Mike pense que son ami sera la seule victime, il va avoir des surprises. Je vais m'occuper de ce don Juan. »

Les deux amies s'embrassèrent.

— C'est bien de se téléphoner de temps en temps, mais c'est plus sympathique de se voir, dit Laura.

— Il faut trouver un moment pour bavarder, répondit Renate.

4

Il faisait encore chaud, mais les ors de l'automne commençaient à se poser sur la campagne. Les premières feuilles mortes tombaient. On aurait dit des ducats.

Eberhardt von Bercken lâcha les rênes de Dannyboy. Le cheval irlandais traversa la clairière au galop. Ils arrivèrent près d'un ruisseau. Dannyboy le sauta. Cavalier et monture volaient presque, en accord l'un avec l'autre.

Dannyboy se reçut bien sur l'autre rive. Arco aboya d'un air de reproche. Il adorait accompagner son maître dans ses balades à cheval, une bonne occasion de se défouler. Mais il n'était pas pour autant un coureur d'obstacles! Il désapprouvait les extravagances de son maître. Si celui-ci tenait à faire la culbute et se retrouver par terre, c'était son affaire. Un chien aussi malin qu'Arco ne courait pas de tels risques. Pourtant, il ne pouvait abandonner son maître. Alors Arco prit son élan et sauta, mais il continua d'aboyer pour manifester son mécontentement.

Son maître avait des occupations bizarres. Il lui jetait par exemple des bâtons qu'Arco était censé rapporter. Parfois, il lui faisait flairer un objet, l'enterrait et Arco devait le retrouver. Parfois, il fallait rester couché à un endroit donné, sans bouger, jusqu'au coup de sifflet qui mettait fin au supplice. Lorsqu'il avait surmonté ces épreuves, son maître le caressait et le félicitait. Arco trouvait parfois les hommes étranges...

Arco était surtout un chien de chasse. Pourtant, lorsqu'il allait lever du gibier dans les domaines voisins, son maître paraissait très mécontent. Les hommes...

Arco courait aux côtés de Dannyboy en continuant à aboyer.

— Bon chien ! lui dit Eberhardt.

Ce qui galvanisa son énergie. On arrivait en vue des granges et des écuries du domaine de Bercken. L'été, des visiteurs envahissaient le parc. L'hiver, on était plus tranquille, parfois même un peu trop.

Eberhardt voulut se convaincre que son cheval et son chien suffisaient à son bonheur.

« Je ne peux pas me plaindre, se dit-il. Bientôt ce sera la fête d'action de grâces pour la récolte, les bêtes sont superbes, Mike est un excellent ami. Pour meubler les soirées d'hiver, j'ai la lecture et la télévision. Et le soir de Noël, j'irai me coucher après la messe de minuit, avec un bon whisky. »

Il mit pied à terre. Un palefrenier emmena

Dannyboy. Carmencita hennit. Arco engagea une poursuite avec le chat noir et blanc. Poursuite dont il revenait toujours bredouille... jusqu'à la fois suivante.

Eberhardt entra dans le hall d'entrée, puis dans son bureau dont les fenêtres donnaient sur le parc. On apercevait une immense pelouse, un ruisseau ponctué de petites chutes d'eau, des parterres de chrysanthèmes de toutes les couleurs.

Les deux cygnes formaient des taches blanches parmi tout ce vert et ces ors.

Le bureau d'Eberhardt n'avait pas changé depuis des générations. Il n'y avait rien de moderne dans la pièce. Les meubles, imposants, étaient en chêne, les murs blancs. Un tapis persan aux couleurs passées, des fauteuils en cuir noir et un canapé composaient le reste du décor. Le velours d'un rouge sombre des rideaux s'harmonisait aux tranches dorées de beaux livres reliés. Il y avait aussi de nombreux livres de poche qui s'entassaient sur les rayonnages. La pièce sentait le tabac. Eberhardt aimait cette pièce qui gardait la trace de ses prédécesseurs, de même qu'une église semble imprégnée de prières.

Il enleva sa veste et la jeta sur un fauteuil. Il portait une chemise blanche et une culotte de cheval. Avec ses épaules larges et ses hanches étroites, il ressemblait à un héros de western.

Il examina son courrier et jeta presque tout. Il s'agissait surtout de publicités inutiles.

Deux lettres retinrent son attention. Il les décacheta à l'aide d'un couteau de chasse qui lui servait de coupe-papier. La première était écrite à la machine, l'autre à la main, d'une écriture qui lui plut.

Ces lettres répondaient à une annonce qu'il avait fait paraître. Le vieux régisseur, Meerkamp, prenait de l'âge. Il resterait au domaine, mais Eberhardt avait besoin d'un homme jeune pour le seconder. C'était la raison de l'annonce, parue deux jours plus tôt. Un père de famille à vocation littéraire l'avait appelé. Ce candidat ne convenait pas. Une exploitation agricole n'est pas une sinécure !

Quant à la lettre dactylographiée, elle émanait d'un professeur au chômage, originaire de la campagne. Il avait trente ans, était allemand et — comme il le soulignait lui-même — très vigoureux. La proposition paraissait intéressante. Sa lettre ressemblait à un manifeste écologiste, mais elle plut à Eberhardt von Bercken.

Il recherchait un homme qui connût bien les chevaux et sût se débrouiller en comptabilité et pour les formalités administratives.

— Si ça continue ainsi, je vais me rouiller à force de rester assis à faire de la paperasse.

Arco s'était glissé dans le bureau et s'était couché à sa place favorite, sous la table d'Eberhardt. Il recevait parfois un coup de pied malheureux, mais il aimait cette atmosphère de caverne.

La seconde lettre avait une écriture très ornée, presque sophistiquée.

« N'ayons pas de préjugés », se dit-il.

Il commença à la lire. La candidature correspondait exactement à ce qu'il attendait. Il fallait rencontrer cette personne. Si la description était exacte, Eberhardt avait trouvé ce qu'il cherchait. Il comptait profiter du calme de l'hiver pour mettre l'intéressé au courant de son nouveau travail.

Il se sentait cependant un peu inquiet, sans bien savoir pourquoi.

La lettre était signée R. von Sorppen. Ce n'était pas très lisible. Eberhardt hésitait entre « Ron » ou « Ren ». Un prénom à la mode. Etudes à Munich et à Berlin. Employé dans un haras berlinois, en stage à Pluttkorten. La réponse devait en effet être adressée au domaine de Pluttkorten ou on pouvait contacter Mme von Pluttkorten.

Tout semblait parfait, mais Eberhardt voulait juger sur pièces. Von Sorppen... Il avait l'impression d'avoir déjà entendu ce nom quelque part.

Eberhardt aurait volontiers discuté de l'affaire avec son ami Mike Kringel, mais celui-ci semblait lui en vouloir un peu de s'être décommandé pour la soirée des Pluttkorten. Cette attitude était inconcevable pour Eberhardt : elle était en contradiction avec la solidarité masculine qu'il attendait de son ami. Mike voulait sans doute lui faire rencontrer sa sœur Laura. Il espérait qu'elle partirait bientôt. Eberhardt n'avait besoin de rien ni de personne. En tout cas il ne voulait pas au domaine de Bercken d'une créature querelleuse, compliquée et exigeante ! Il en avait déjà fait l'expérience une fois dans sa vie et ne tenait pas à recommencer.

— A quoi servent-elles, je me le demande ? dit Eberhardt. Nous n'avons pas besoin de femmes ici, n'est-ce pas, Arco ?

Le chien se leva en entendant son nom. Il croyait que son maître allait lui lancer un bouchon de bouteille, comme il lui arrivait de le faire. Arco en déposa un aux pieds de son maître qui, du bout du pied, l'envoya rouler à l'extrémité de la pièce. Arco se précipita sur le bouchon en jappant de plaisir. Il l'attrapa au vol et le rapporta en remuant la queue.

Eberhardt, cependant, ne s'occupait pas d'Arco. Il réfléchissait. Le plus simple était de téléphoner aux Pluttkorten, mais il ne le voulait pas. On évoquerait cette fâcheuse invitation, ce qu'il voulait éviter. De toute façon, il désirait rencontrer ce candidat.

Et s'il téléphonait à Mike ? Il risquait de tomber sur Laura. Et Laura, il s'en défiait. Elle essaierait, comme toutes les femmes, de l'embobiner, de l'inviter à dîner...

— On ne va pas se lancer là-dedans, n'est-ce pas, Arco ?

Le chien, plein d'espoir, s'approcha de son maître avec le bouchon dans la gueule. Et cette fois, Eberhardt se prêta de bonne grâce au jeu.

Celui-ci se résolut à envoyer une lettre pour inviter M. R. von Sorppen à se présenter chez lui le jeudi suivant, dans l'après-midi.

Le soir, il s'arma de courage pour téléphoner à Mike. Celui-ci répondit d'un ton aimable.

— J'espère que tu trouveras un assistant capable, lui dit-il, pour Meerkamp et pour toi.

— Comment va ta sœur ? demanda Eberhardt.

Il avait fait un effort pour formuler la question. Simple formalité de politesse qui ferait plaisir à Mike.

— Oh... Je l'emmène demain à l'aéroport, répondit Mike. Elle doit repartir plus tôt que prévu. Sa visite aux Pluttkorten a été décommandée. Je suis pris aujourd'hui, et demain aussi. Que dirais-tu d'une partie de cartes après-demain, avec Meerkamp ?

— Oh, tu sais, j'ai la tête ailleurs en ce moment...

— Je te comprends, Eberhardt.

— Dis-moi, tu es bien allé à Pluttkorten, ces temps-ci ? Tu n'as pas vu un jeune homme ?

— Oh, tu sais, depuis qu'ils ont pris M. Meyer comme vétérinaire, je n'y vais que rarement, pour les dépanner au besoin. Je ne connais personne là-bas. Peut-être l'ai-je vu, je ne sais pas. On voit tant de visages nouveaux chez les Pluttkorten qu'il est difficile de se les rappeler tous.

— A bientôt. Je te donnerai de mes nouvelles.

« Ouf ! Le danger s'éloigne, pensa Eberhardt. Mlle Kringel repart. C'est splendide ! »

Il était si soulagé qu'il pensa à lui envoyer une orchidée de ses serres, accompagnée d'un petit mot hypocrite, dans ce genre :

« Dommage que nous n'ayons eu l'occasion de nous rencontrer cette fois-ci... »

Il y renonça.

« Donne à une femme le petit doigt, et elle te demandera le bras. Et elle exigera bien plus. Non, mon vieux, laisse tomber... Il n'y a que les imbéciles qui se laissent prendre ainsi. »

Le lendemain, il reçut une autre candidature, celle d'un cinéaste qui voulait tourner un documentaire sur la vie dans un domaine de grand propriétaire terrien.

« Ce serait une œuvre très objective », écrivait-il.

Il y eut aussi un paysan entre deux âges qui avait fait faillite et qui proposait ses services. Eberhardt préférait toujours le jeune von Sorppen.

Jeudi, 14 h 55... Eberhardt von Bercken venait d'examiner une jeune jument qui avait des coliques. Il hésitait encore à appeler Mike. Il préférait attendre un peu.

— Je reste de garde, dit Meerkamp.

Tous deux sortirent de l'écurie.

— Le candidat doit arriver à quinze heures. J'espère qu'il sera exact. J'aimerais que vous fassiez sa connaissance, Meerkamp, pour me donner votre avis.

Une voiture de sport rouge entrait dans la cour. Elle prit un virage sur les chapeaux de roue et s'arrêta devant le perron.

— C'est lui, dit Meerkamp.

Une personne élancée et mince descendit de la

voiture. Elle portait un pantalon de velours et une veste en tweed aux larges épaules... On entendit claquer la portière. Eberhardt s'approcha à grandes enjambées.

Lorsque le candidat se retourna, Eberhardt eut un choc. Il tenta de se donner une contenance et de sourire. Une femme ! C'était une femme !

— Vous désirez ?

Il avait pris le ton le plus aimable possible. Elle était très jolie, c'était sûr. Elle n'était pas apprêtée de façon tapageuse comme bien des filles.

Elle avait des cheveux blonds tirés en arrière, elle ne s'était pas maquillée et était bien habillée. Elle ressemblait à Laura Kringel, en mieux. Laura devait toujours ressembler à la gentille gamine qu'elle avait été, avec des cheveux ébouriffés, un petit nez en trompette, un teint brouillé...

La femme qu'il avait devant lui, en revanche, était une vraie beauté. Eberhardt se sentait troublé. Elle le regardait d'un air grave. Une légère rougeur marquait ses joues. Elle lui demanda :

— Ne pourrions-nous pas entrer ?

Sa voix était douce, mais franche. Cette voix aurait-elle pu prendre les stridences insupportables de la voix de son ex-femme ?

— Bien sûr, je vous en prie, entrez.

Laura se dit, pour se rassurer car elle était loin d'être calme, que tout allait bien. Il l'avait invitée à entrer, ce qui était un premier succès.

Il lui ouvrit la porte d'entrée et elle se glissa à l'intérieur de la maison. Une petite natte serrée donnait à sa coiffure un air un peu austère. Eberhardt jeta un coup d'œil en direction du vieux Meerkamp qui se trouvait encore dans la cour et qui observait la scène, médusé.

Laura et lui s'installèrent l'un en face de l'autre dans son bureau. Il lui proposa une cigarette :

— Vous fumez ?

— Non, merci. Permettez-moi de me présenter : je m'appelle Renate von Sorppen

— Et en quoi puis-je vous être utile ?

— Je suis intéressée par le poste pour lequel vous avez fait paraître une annonce. Je suppose que vous avez lu ma lettre de candidature, monsieur von Bercken ? Si vous le désirez, je peux vous présenter mes références. Je voulais les apporter, mais j'ai préféré ne pas perdre de temps. Je suppose que vous avez dû recevoir de nombreuses candidatures. Je tiens cependant à souligner que je me sens qualifiée pour ce travail.

Ouf... Elle avait au moins réussi à placer sa tirade. Eberhardt en était encore tout retourné. Elle devait profiter de l'effet de surprise. Laura regardait l'homme assis en face d'elle de l'air le plus neutre possible, avec beaucoup de retenue. Le soleil entrait par les fenêtres et un rayon de lumière dorée tombait sur ses cheveux blonds et leur donnait des reflets roux, couleur de châtaigne.

Eberhardt la regardait l'air pensif, sans savoir s'il devait rire ou se mettre en colère. En fait, il était plutôt irrité. Mais elle était si jolie, assise dans ce fauteuil, avec ses cheveux qui brillaient comme un vieux whisky, avec ses yeux si bleus, une bouche à la Greta Garbo. L'ensemble de sa personne n'avait rien d'outrancier ni d'agressif. Pourtant, elle était très féminine. Il admirait son courage, car il fallait du courage pour se présenter devant lui, comme si c'était la chose la plus naturelle du monde. Une femme désireuse de devenir l'assistante d'un exploitant agricole... Et au domaine de Bercken, encore !

Elle tendit la main vers Arco qui l'avait adoptée. Il s'approcha d'elle sans se faire prier, en remuant la queue, et se laissa caresser. Il lui lécha même la main, ce qui était le signe de sa plus haute considération. Elle ne sembla pas effrayée et se contenta de lui donner une petite tape amicale.

— Je ne doute pas de vos qualifications, mais j'ai besoin pour ce poste d'un homme vigoureux.

Eberhardt s'efforçait d'avoir un ton ferme.

— Je suis plus forte qu'il n'y paraît...

Il fronça les sourcils.

— Mon assistant ne doit pas s'évanouir quand une jument a du mal à pouliner...

— Je ne m'évanouirai pas. J'ai un cheval, à Berlin. Ou plutôt, j'en avais un.

Elle pensa avec tristesse à Luxor, son cheval. Elle n'avait pu se résoudre à le vendre et l'avait mis en pension chez des paysans, à Lübars. Elle espérait pouvoir un jour le reprendre.

Pour l'heure, elle devait être attentive à ne pas se trahir en donnant trop de détails sur elle-même. Ici, elle n'était plus que Renate von Sorppen. Au début, elle avait pensé choisir un nom au hasard. Mme von Pluttkorten l'en avait dissuadée. Il valait mieux rester près de la vérité. De cette façon, il était plus facile de répondre aux questions sans se tromper, sans déployer trop d'imagination.

Elle s'était même demandé si Laura n'aurait pas pu se faire passer pour un homme.

— Ce sont des choses courantes au théâtre, avait-elle dit. Shakespeare ou Goldoni ont souvent utilisé ce procédé dans leurs comédies...

Bien sûr, c'était possible, mais Laura craignait d'être trahie par sa voix, le plus difficile à déguiser. Elle avait donc résolu de se présenter en femme. Elle s'adressa à Eberhardt :

— Demandez-moi ce que vous voudrez et vous constaterez par vous-même que je connais mon métier.

— C'est inutile, mademoiselle, je n'ai pas l'intention de prendre une femme pour ce poste.

— Je vais vous poser une question un peu directe : ne seriez-vous pas un peu misogyne ?

— Non ! Quelle idée !

Elle se pencha et le regarda.

— Dans ce cas, prenez-moi à l'essai, s'il vous plaît. Vous ne risquez pas grand-chose. A moins que vous n'ayez un meilleur candidat que moi.

La perspective de voir chaque jour cette jeune personne si jolie et si décidée lui sembla tout à coup tentante. Il hésitait encore.

— Vous prendre à l'essai ?... Peut-être pour un mois ? Oui, nous pourrions peut-être essayer. Il

98

faudrait d'abord que nous discutions des conditions.

— Je suis prête à accepter toutes vos conditions. Et appelez-moi simplement Ren. Mes amis m'appellent ainsi. En fait, je m'appelle Renate.

— Dans votre lettre, vous n'avez mentionné que la lettre R.

Eberhardt souriait pour la seconde fois. Il semblait moins triste, plus détendu.

Quant à « Ren », elle le trouvait superbe. Elle aurait voulu le voir les yeux heureux. Il lui proposa :

— Je vais vous faire visiter le domaine. Voulez-vous que nous trinquions auparavant pour fêter notre accord ? Vous prendrez bien une liqueur ?

— Si cela ne vous ennuie pas, je préférerais un whisky. Sans glace et sans eau. Sec.

— Parfait. C'est ainsi que je l'aime.

Ren souriait. Mike l'avait mise au courant des goûts d'Eberhardt. Elle savait ce qu'il fallait faire et ce qu'il fallait éviter, pour plaire au maître du domaine de Bercken.

Il lui montra la propriété. Il en semblait fier, à juste titre. Il lui présenta Meerkamp. Celui-ci demanda :

— Von Sorppen ? Seriez-vous une parente des Pluttkorten ?

— Je suis leur petite-fille, dit « Ren ».

— Pourquoi ne me l'avez-vous pas dit ?

Eberhardt avait l'air surpris. Elle lui expliqua :

— Je ne voulais être recommandée par personne. Je veux réussir toute seule.

Elle avait bien rougi un peu, mais dans l'ensemble, elle ne s'en était pas trop mal sortie. Eberhardt lui fit faire le tour du propriétaire. On voyait qu'il était fier de ce qu'il avait réalisé et qu'il aimait son domaine. Il lui montra les chevaux. Ils leur donnèrent du sucre.

— Voici Carmencita, ma préférée, dit Eberhardt.

Elle aima la façon dont il avait dit : « ma préférée ». Elle se demandait s'il aurait un jour une voix aussi douce pour lui parler. Il se comportait avec elle comme s'il l'avait trouvée dénuée de tout charme. Enfin, il fallait lui laisser du temps.

Un cheval noir arriva au fond du pré, au petit trot. Laura avait encore un morceau de sucre et elle le lui tendit. Dannyboy la regarda et remua la tête. Eberhardt observait la scène. Dannyboy était un cheval farouche qui ne se laissait pas approcher par des étrangers.

— Attention, dit Eberhardt. C'est un voyou !

Cependant, Dannyboy avança la bouche et prit le sucre avec délicatesse. Elle posa sa main sur le chanfrein du cheval qui s'ébroua, ravi. Elle semblait connaître les chevaux.

« Elle est décontractée, se dit Eberhardt. C'est une fille moderne qui sait garder la tête froide. Elle ne ressemble pas à Gabrielle. Elle est droite, franche. On peut lui faire confiance. »

En la quittant, il lui serra la main si fort qu'elle faillit crier. Elle parvint à sourire.

— Au revoir ! Quand pouvez-vous commencer ?

— Demain matin, si cela vous convient. Autant en finir vite avec cette période d'essai.

— Parfait.

Elle fit un signe de la tête et monta dans sa voiture. Eberhardt ne soupçonnait évidemment pas de quel genre d'essai il pouvait s'agir.

Elle démarra. Il agita la main et rentra dans son bureau. Il se sentait tout décontenancé et se demandait ce qui lui arrivait...

Engager une femme! Comment avait-il pu en arriver là? C'était contraire à ses principes. Meerkamp avait fait la tête quand il lui avait présenté la jeune femme. Mike Kringel allait se moquer de lui en apprenant la nouvelle. Eberhardt se sentait inquiet. Les femmes n'apportaient que troubles et désordre, c'était bien connu, et ses déboires conjugaux l'avaient confirmé dans cette idée.

A l'époque, il avait jalousé son rival. Sa fierté, sa résistance physique et morale avaient disparu. Il s'était senti comme vidé de sa substance. Il était devenu une ombre.

Aujourd'hui, à nouveau, il était troublé. Un trouble nouveau, différent. Eberhardt se laissa tomber dans un fauteuil et étendit les jambes.

« Ren, quel nom bizarre. Ce n'est pas laid. Que cette fille est jolie! »

On aurait parfois dit qu'elle avait peur de lui.

« Peur de moi! Mais pourquoi? D'habitude, c'est moi qui redoute les femmes. Pas celle-là. Je suis tout de même son patron! »

Il appuya la tête sur le dossier du fauteuil et se mit à fredonner sa mélodie favorite.

— Etrangers dans la nuit...

Il chantait tout haut, lui, Eberhardt von Bercken! Cela ne lui était pas arrivé depuis des années. Il eut envie de sortir. Il ne tenait plus en place. Il alla voir Meerkamp.

— Alors, comment trouvez-vous notre nouvelle recrue, Meerkamp?

— Elle a l'air capable.

— C'est tout l'effet qu'elle vous fait?

— Quel effet voulez-vous qu'elle me fasse?

— Ne racontez pas d'histoires! Je vois à votre tête que quelque chose vous est resté en travers de la gorge...

— Pas du tout.

Meerkamp avait réfléchi au problème. Il avait déjà rencontré la petite-fille des Pluttkorten, et il savait qu'elle n'était pas blonde. Les femmes se teignent parfois les cheveux. Il y avait un autre fait qui ne concordait pas. La petite Pluttkorten n'était pas aussi grande. A sa connaissance, ils n'avaient qu'une petite-fille...

Son maître était de si bonne humeur qu'il ne lui confia pas ses soupçons. Il était resté célibataire. Sans doute ne comprenait-il rien aux femmes?

Meerkamp avait donc décidé de se taire pour l'instant, mais de rester vigilant.

Le lendemain, Ren se mit au travail. Elle s'attaqua à la comptabilité quelque peu anarchique de l'exploitation. Elle y mit de l'ordre. Elle paraissait galvaniser l'ensemble du personnel. La bonne Mme Paulsen qui s'occupait depuis long-temps de la maison ne l'avait pas vue venir d'un bon œil. Au bout de quelques jours, elle demandait à tout propos conseil à Laura. Elle la chargea de morigéner les femmes de chambre devenues fort paresseuses.

Pour rendre plausible son refus à l'invitation des Pluttkorten, Eberhardt dut s'absenter. Laura en profita pour faire nettoyer la maison de fond en comble, participant à l'opération. Mme Paulsen fut la seule à ne rien faire. Elle prétendait avoir mal au ventre. Laura lui demanda pour la taquiner :

— Aurez-vous la force de tenir le chiffon à poussière ?

Mme Paulsen réfléchit au problème et fit un essai peu convaincu.

— De toute façon, ça ne servira pas à grand-chose. La poussière retombe toujours et Monsieur s'en fiche. Vous êtes un peu vieux jeu, n'est-ce pas ?

— Peut-être. Je n'aime pas la poussière.

Le rez-de-chaussée resplendissait. Laura alla cueillir des fleurs et en fit des bouquets qu'elle disposa dans toutes les pièces. Elle coupa dans la serre la plus belle orchidée, blanche et tachetée. Elle la plaça·dans un vase de cristal qu'elle posa sur le bureau d'Eberhardt. Puis elle contempla son œuvre avec satisfaction. Eberhardt von Bercken allait être surpris.

Il parut en effet surpris. Il huma l'air.

— Ça sent la cire.

103

Dans sa bouche, ce n'était pas un compliment. Il remit ensuite à leur place bibelots et livres, sans doute déplacés au cours du grand ménage. Les choses prirent mauvaise tournure lorsqu'il aperçut le vase posé sur son bureau. Pleine d'espoir, Laura attendait sa réaction. Elle pensait qu'il allait s'extasier et la féliciter de son initiative. Il n'en fut rien. Eberhardt respira profondément et finit par dire :

— Comment cette orchidée est-elle arrivée sur mon bureau ?

La question parut stupide à Laura qui répondit, irritée :

— Pas à pied...

— Qui l'a apportée ici ?

— C'est moi.

Le visage d'Eberhardt s'empourpra tout à coup, et il hurla :

— J'interdis que l'on touche à mes orchidées ! Le jardinier n'a d'ordre à recevoir que de moi et de moi seul ! Vous m'avez bien compris ? Quel gâchis !

Laura le regarda sans comprendre. Il ne ressemblait plus à l'homme charmant et affable qui l'avait accueillie. Elle le trouvait injuste et grossier.

Elle était au bord des larmes. Il ne devait pas la voir pleurer. Elle tenta de se ressaisir.

Elle rejeta la tête en arrière, le regarda avec attention et lui dit :

— Cela ne se reproduira plus, vous pouvez compter sur moi. C'était une période d'essai. Je suis au regret de vous dire que vous ne m'avez pas donné satisfaction.

Puis elle tourna les talons et monta dans son appartement. Elle s'était laissée aller à la colère, mais elle était furieuse.

Elle ramassa ses affaires qu'elle jeta pêle-mêle dans sa valise. Dans sa colère, elle faisait claquer les portes pour se défouler.

— Tu n'es qu'un affreux bonhomme, un horrible prétentieux, un personnage odieux !

Chaque mot qu'elle prononçait était ponctué par le claquement d'une porte d'armoire ou d'un tiroir de la commode.

Elle était hors d'elle. Dire qu'elle s'était échinée deux jours entiers pour lui faire plaisir ! Il ne l'avait pas remerciée, n'avait formulé que des critiques. Ah ! Cet homme !... cet homme... elle... Elle l'aimait ! Ce qui la rendit encore plus furieuse.

« Que m'arrive-t-il ? C'est malin... Je ne vais pas pouvoir continuer à jouer cette petite comédie. De toute façon, je n'ai plus rien à perdre. Il ne me pardonnera jamais cette supercherie. Il faut que je parte, loin. Je vais rentrer à Berlin, ou aller à New York, qu'importe ! »

Elle se jeta sur le lit et donna libre cours à son chagrin. Leur plan n'était peut-être pas mauvais en soi, mais il n'avait tenu aucun compte de ses propres sentiments. Elle se sentait faible et vulnérable.

Laura laissait couler ses larmes. Le souvenir des années perdues avec Frank, à Berlin, le choc de leur rupture et maintenant la mauvaise humeur d'Eberhardt, c'était trop.

Elle se leva, alla dans la salle de bains et se passa de l'eau glacée sur le visage. Puis elle se recoiffa d'un geste énergique, enfila sa veste de cuir, prit sa valise et quitta la chambre.

Elle descendit lentement l'escalier. Sa valise était lourde. Elle était triste.

Eberhardt l'attendait dans le hall. Elle voulut passer sans le regarder, mais Eberhardt s'empara de la valise et la posa par terre. Il prit Laura par le bras, avec fermeté. Elle n'essaya pas de se dégager.

Quand il était encore marié et amoureux de sa femme, il plaçait tous les jours une orchidée blanche sur la table du petit déjeuner. Dans son esprit, l'orchidée restait liée à Gabrielle et à sa trahison. Ce que Ren ne pouvait savoir. Elle n'avait cherché qu'à lui faire plaisir.

« Et moi, je n'ai pas pu m'empêcher de l'agresser, se dit-il. Je me suis conduit comme un goujat. »

Il aurait voulu lui expliquer la raison de son comportement, mais elle ne voulait pas l'entendre.

C'était la première fois qu'il la voyait les cheveux dénoués. Comme elle était belle !

Il la força à se retourner et à le regarder.

— Ren ! Je suis désolé. Je n'ai pas voulu vous blesser. Faisons la paix.

Elle avait pleuré ! Ses yeux étaient rouges. Elle le regarda d'un air malheureux. Il ne put s'empêcher de se pencher vers elle et de l'embrasser sur le front, sur les joues, puis un peu partout sur le visage. Ses lèvres se posèrent sur sa bouche.

Laura restait inerte. Elle semblait désespérée.

— Non, non, dit-elle. Tout est raté, il n'y a plus rien à faire.

Il la lâcha et la regarda.

« Allez donc comprendre quelque chose aux femmes ! »

Laura reprit sa valise et quitta la maison.

Eberhardt lui ouvrit la portière de la voiture. Elle s'assit, mit le moteur en marche et démarra en trombe. Eberhardt resta debout, regardant sans le voir le nuage de poussière que Laura soulevait.

Eberhardt était comme foudroyé. Il rentra dans la maison, la tête basse.

Dans son bureau, il se laissa tomber dans un fauteuil et contempla l'orchidée dans son vase. Sa beauté semblait le narguer.

« Dieu que je suis stupide ! La vie me donne une deuxième chance, et je l'ai laissée passer ! »

Il vida plusieurs fois son verre de whisky avant de s'endormir sur le canapé de son bureau. Arco était couché à ses pieds. Eberhardt eut une nuit agitée.

Il se leva à l'aube. Cette fois, même le fait de s'occuper des chevaux ne put lui rendre sa sérénité.

— Que se passe-t-il ? demanda Meerkamp.

— Rien ! Que voulez-vous qu'il se passe ? Notre nouvelle assistante est partie hier soir en claquant la porte, c'est tout. Je suppose que je n'étais pas assez fin ni assez distingué à son goût...

Meerkamp observa son maître qui semblait bien nerveux. Meerkamp ne voulut pas lui faire part de ses doutes quant à la véritable identité de la jeune fille, mais il lui dit :

— Vous pourriez essayer de téléphoner aux Pluttkorten.

— Ce n'est pas une mauvaise idée.

Le moral d'Eberhardt s'améliorait. Il ne voulait pas se laisser abattre.

En premier lieu, il cueillit toutes les orchidées blanches. Il en fit un bouquet qu'il enveloppa dans du papier de soie. Puis il alla trouver Mme Paulsen, qui buvait son café.

— Voilà 20 marks. Votre fils pourrait-il prendre sa mobylette et porter ces fleurs à Pluttkorten ? Attendez, je vais joindre un mot au bouquet.

Mme Paulsen s'y connaissait en matière d'amour et elle lui sourit, ce qui le fit rougir.

Eberhardt attendit onze heures avec impatience. Il lui aurait semblé inconvenant de téléphoner plus tôt.

Une femme lui répondit :

— Ici Pluttkorten.

— Bercken à l'appareil. Excusez-moi, madame, mais je me fais du souci pour votre petite-fille, Mlle von Sorppen. Elle a quitté hier soir le domaine dans un état... disons de grande agitation. Je voulais m'assurer qu'elle allait mieux ce matin.

— C'est très aimable à vous, monsieur von

Bercken. En effet, cette jeune fille m'a paru très énervée lorsqu'elle est arrivée ici. Merci en tout cas pour ces merveilleuses fleurs que vous nous avez fait porter. Elles sont superbes. Ma petite-fille me charge de vous remercier.

— Serait-il possible... euh... pourrais-je parler à Mlle von Sorppen, s'il vous plaît ?

— Je suis navrée, elle est sortie faire un tour en ville. Elle m'a parlé d'une agence de voyages, mais je peux me tromper, je n'en suis pas tout à fait sûre.

Amélie von Pluttkorten savait l'effet que cette nouvelle ferait à Eberhardt.

Toutefois, elle n'avait pas menti. Laura Kringel l'avait bien appelée la veille au soir, au bord de la crise de nerfs. Elle était arrivée à Engenstedt et avait trouvé son frère Mike en compagnie d'une de ses amies. Laura et Mme von Pluttkorten avaient parlé longtemps. Amélie lui avait conseillé de ne pas perdre espoir.

— Il faut que nous apportions quelques modifications à notre plan, voilà tout. A moins qu'Eberhardt ne vous intéresse plus, mon enfant.

— Je crois que je n'ai jamais été aussi motivée.

Amélie von Pluttkorten avait souri. Laura semblait inquiète.

— Cette histoire est absurde. S'il apprend la vérité, il sera vexé. Il vaut mieux que je parte... Merci pour tout, chère madame von Pluttkorten.

Quant à la vraie Renate von Sorppen, elle avait surtout retenu du récit de sa grand-mère que

Mike Kringel avait reçu une amie chez lui. Ce séducteur incorrigible avait besoin d'une bonne leçon. Renate von Sorppen était décidée à la lui donner.

5

Mike Kringel se rendait à Engenstedt avec la voiture de Laura.

La sienne n'avait pas voulu démarrer et il voulait faire un saut jusqu'au garage. Il désirait aussi aller à l'agence de voyages pour organiser un petit séjour aux Canaries. L'employée lui demanda avec familiarité :

— Alors, cher docteur, on s'offre quelques jours au soleil pour échapper à la grisaille de l'automne ?

— Exactement !

Mike et elle avaient eu une brève aventure.

— Une seule personne ?

— Evidemment !

— Que dirais-tu de retourner à Maspalomas ? Soleil garanti et festival de bikinis...

— D'accord, mais je voudrais un appartement.

Elle tapota le clavier de l'ordinateur.

Eberhardt roulait dans la même rue, à vive

allure. Il aperçut la voiture rouge immatriculée à Berlin, garée devant l'agence.

Il voulait absolument parler à Ren.

Il n'y avait aucune place pour se garer. Il perdit du temps à en chercher une. Quand il arriva à la porte de l'agence, la voiture avait disparu. Il entra. Ren n'était pas là. Il s'adressa à l'employée :

— Excusez-moi, il me semblait avoir vu une de mes amies entrer ici. Elle a dû partir à l'instant.

— Pourriez-vous la décrire ?

— Oh... C'est une jeune femme blonde, très jolie.

— Non, désolée, je ne l'ai pas vue. Il n'y avait ici que Mike Kringel, le vétérinaire, je crois que vous le connaissez.

— Oui, nous sommes amis. Il ne vous a pas dit par hasard où il allait ? Il faudrait que je lui parle.

— Il devait passer chez le garagiste. Sa voiture, une fois de plus, n'a pas voulu démarrer et il a emprunté celle de sa sœur. C'est à se demander comment ils travaillent, ces...

Eberhardt s'excusa et sortit.

Il se demandait pourquoi Mike avait emprunté la voiture d'une certaine Renate von Sorppen.

Il craignait que son ami n'eût tenté de séduire la jeune femme. Peut-être l'avait-il connue à l'époque où elle travaillait chez son grand-père Pluttkorten ? C'était peut-être Mike qui lui avait conseillé de répondre à son annonce ? Et le voilà qui utilisait la voiture de Ren, maintenant. Eberhardt en conclut qu'ils étaient déjà très intimes.

Il y avait une autre possibilité. Mike, alléché par les compliments qu'Eberhardt avait faits de sa nouvelle recrue, avait pu profiter de son départ précipité du domaine pour tenter sa chance auprès d'elle. Dans ce cas, il n'avait aucune raison de conduire sa voiture...

Ou alors... Une idée folle lui vint à l'esprit. Eberhardt s'arrêta de marcher et ferma les yeux.

— Quelque chose ne va pas, monsieur Bercken? lui demanda la femme du droguiste.

— Ne vous inquiétez pas, tout va pour le mieux, madame Schmidt. J'ai eu un petit étourdissement, je crois, ce n'est rien.

« On n'est jamais tranquille dans une petite ville comme Engenstedt où tout le monde connaît tout le monde. Je suis sûr qu'on rit de ma mésaventure avec ma collaboratrice. Celle-là, pourquoi a-t-elle été fréquenter Mike Kringel, ce voyou, ce traître... Mais, j'oubliais ma troisième possibilité... »

Laura, la sœur de Mike, habitait Berlin. Cette coïncidence aurait dû lui sauter aux yeux. Cette femme l'avait bouleversé. En temps normal, il ne serait pas si facilement tombé dans le piège. Toute l'affaire était de la faute de Mike, un faux frère, un traître. Elle ne valait guère mieux. D'ailleurs, ses compétences en matière agricole étaient des plus médiocres. Il n'y avait que les chevaux qu'elle paraissait connaître. En revanche, elle se débrouillait bien en comptabilité. La sœur de Mike avait fait des études en économie. Eberhardt ne savait plus qu'elle était sa profession. Il lui semblait qu'elle était conseillère fiscale.

Ils avaient dû bien s'amuser à ses dépens, ces deux-là !

« Ren avait... Que dis-je ? Laura ne s'est sans doute pas privée de se moquer du vieux garçon misogyne qui vit au domaine de Bercken. Et Mme Pluttkorten ? Elle devait être au courant de cette machination, sinon elle n'aurait pas réagi au téléphone comme elle l'a fait. »

Comment Mike avait-il réussi à embarquer la pauvre Mme von Pluttkorten dans cette affaire ?

Eberhardt reconstitua les éléments du puzzle. Ce fut Meerkamp qui lui donna la solution.

— Eh oui ! Je m'étais dit que cette jeune femme ne pouvait pas être la petite-fille des Pluttkorten. Je pensais bien qu'il s'agissait de la sœur du Dr Kringel.

Eberhardt était fou de rage, mais il sut se contenir et demanda calmement au vieil homme :

— Et pourquoi ne m'en avez-vous pas parlé, Meerkamp ?

Le vieux toussota plusieurs fois. La situation était délicate. Il connaissait bien son maître : son calme apparent et le ton conciliant qu'il prenait ne faisaient que masquer la colère qui l'agitait. Il fallait être prudent.

— C'est-à-dire... Elle était charmante, cette petite. Et même mieux que ça ! Je suis un vieil homme, je vous l'accorde, mais je sais admirer une belle femme.

Eberhardt ne put s'empêcher de sourire.

— Elle est effectivement charmante, Meerkamp. Ne vous inquiétez pas, j'ai un plan. En tout cas, quoi qu'il arrive, ne parlez pas d'elle. Vous m'avez bien compris ? Vous avez tenu votre langue jusqu'à présent, vous pourrez bien vous taire encore un peu.

— Je serai muet.

Meerkamp se sentait soulagé. Il avait évité le pire et aurait promis n'importe quoi pourvu qu'Eberhardt ne lui en voulût plus.

Eberhardt ne pensait qu'à Laura. Il la revoyait, descendant l'escalier avec sa valise trop lourde, les yeux rougis par les larmes. Elle avait pleuré ! Elle n'était donc pas aussi cynique qu'elle voulait le faire croire. Eberhardt n'aimait pas les femmes hystériques, mais l'idée d'avoir fait pleurer Laura ne lui déplaisait pas.

Qui aurait pu deviner que la petite natte serrée cachait une chevelure aussi opulente ? Ses cheveux avaient la couleur des blés.

Il se souvenait surtout du goût de ses lèvres.

Il avait oublié sa réserve habituelle mais le baiser en valait la peine, même si elle n'y avait pas répondu. Il pensait pourtant qu'elle n'était pas aussi froide et distante qu'elle voulait le faire croire. Il inclinait à penser que Mike était le seul responsable de ce petit jeu de cache-cache. En fait, Laura et lui étaient ses victimes.

Elle n'en méritait pas moins une leçon. Et Mike ne perdait rien pour attendre... S'il s'imaginait qu'il était le seul capable de plaisanteries, il se trompait !

Eberhardt retourna voir Mme Paulsen. Il désirait que son fils se rendît à nouveau à Pluttkorten pour y porter une lettre.

Mme Paulsen sourit d'un air entendu.

— On dirait que vous passez à l'offensive, monsieur le Baron...

Eberhardt se mit à rire. Cette Mme Paulsen ne pouvait s'empêcher de se mêler de ce qui ne la regardait pas. Et pourtant, elle avait vu juste. Il allait en effet reprendre la situation en main.

La lettre qu'il venait de rédiger était un vrai chef-d'œuvre. Elle disait :

« Chère mademoiselle von Sorppen, chère Ren, veuillez d'abord accepter mes excuses pour mon comportement inqualifiable. Vous comprendrez peut-être mieux ma réaction lorsque vous saurez que ces orchidées se rattachent pour moi à de douloureux souvenirs. Grâce à votre aide involontaire, je suis parvenu à m'en libérer.

« J'ose exprimer l'espoir que vous reviendrez sur votre décision et que je vous reverrai à Bercken. Arco, Dannyboy et Carmencita s'associent à cette demande.

« Sachez bien que votre aide m'est indispensable. Vous avez su mettre de l'ordre dans ma comptabilité et apporter un air nouveau à la maison. Je serais très heureux que vous veniez reprendre possession de votre appartement. Je vous attends.

« Je vous transmets également les amitiés de Mme Paulsen et de Fritz Meerkamp.

« Votre très dévoué Eberhardt von Bercken. »

Arco fut le premier à l'apercevoir. Il poursuivait, comme à l'accoutumée, le chat blanc et noir. Il s'était fait griffer et le chat s'était réfugié dans le noyer de la cour. Arco, patient, attendait qu'il redescendît. Le chien grognait, le chat crachait. La voiture rouge arrivait et Arco s'élança en jappant. Laura coupa le contact, descendit et flatta la tête du chien.

— Arco, bon chien. Si seulement ton maître pouvait être aussi heureux que toi de me revoir !

— Il l'est !

Eberhardt s'approchait d'elle. Laura, qui ne l'avait pas vu arriver, se mit à rougir. Elle avait à nouveau cette petite natte qui lui donnait un air austère. Elle ignorait encore qu'Eberhardt avait découvert la supercherie. Elle s'imaginait qu'il la prenait toujours pour Renate von Sorppen. Eberhardt avait envie de l'embrasser, mais il se retint. Il prit sa valise et la porta à l'intérieur de la maison. Il lui dit :

— J'aurais bien des choses à voir avec vous. Vous prenez toujours votre whisky sec ?

Il sourit. Depuis qu'il savait que Mike Kringel tirait les ficelles de l'intrigue, il avait compris pourquoi la jeune femme faisait autant la grimace à chaque fois qu'elle buvait une gorgée de ce qui était censé être sa boisson préférée. En vérité, elle avait horreur du whisky. Mike avait dû lui dire qu'il en raffolait, et elle s'efforçait de lui plaire.

Eberhardt, pour lui donner une leçon, lui versa une grande rasade de whisky. Elle en but une gorgée, avec courage.

— Mademoiselle von Sorppen, je suis sûr que, comme moi, vous souhaitez parler en toute franchise, n'est-ce pas ?

Elle acquiesça, gênée. Il poursuivit.

— C'est la raison pour laquelle je voudrais vous raconter ce qui m'est arrivé. Je suis allé à Engenstedt récemment et, par le plus grand des hasards, j'ai aperçu Mike Kringel au volant de votre voiture. J'en ai donc conclu que vous étiez amis. J'irai même jusqu'à soupçonner Mike de vous avoir conseillé de répondre à mon annonce. Il y a pourtant une chose que vous ne pouviez pas savoir : je n'avais pas l'intention d'engager une femme pour ce poste. Entre-temps, j'ai changé d'avis. J'ai tout de même envie de jouer un tour à notre ami. Mike, c'est évident, est amoureux de vous. Pour plaisanter, et si vous êtes d'accord, je voudrais lui annoncer que nous avons l'intention... de nous marier. Il ne s'agit que de l'affoler un peu... La leçon lui ferait grand bien, à cet insolent ! Qu'en pensez-vous, Ren ?

Elle semblait troublée, ce qui lui allait bien.

La situation l'embarrassait. Elle n'osait pas avouer qu'elle était la sœur de Mike, ce qui aurait tout compromis. Elle répugnait cependant à lui mentir encore. Pourtant, sa curiosité fut la plus forte.

118

Elle poussa un soupir.

— Je suis d'accord, dit-elle.

— Parfait. Je vais l'appeler tout de suite et l'inviter à dîner. Cela vous convient-il ?

— Oui.

Eberhardt savait que, dès qu'il aurait le dos tourné, Laura se mettrait en rapport avec son frère et peut-être même avec Mme von Pluttkorten pour concerter leur plan. Ce que Laura ignorait, c'était qu'Eberhardt avait aussi sa stratégie.

Il se rendit à la cuisine pour donner ses instructions.

— Mme Paulsen, j'ai invité le Dr Kringel à dîner. Vous penserez à ajouter un couvert, je vous prie.

Mme Paulsen le regarda d'un air interrogateur. Elle annonça le menu.

— Je vous prépare des steaks aux champignons et une omelette surprise au dessert.

— Ce sera parfait, madame Paulsen.

Eberhardt se rendit ensuite dans les écuries. Il avait le cœur léger : le fait de savoir que Laura travaillait de nouveau dans son bureau, au domaine, le rendait heureux. Eberhardt avait l'intention de bien manœuvrer. Il voulait reprendre l'avantage. Question d'amour-propre...

« Mike va trouver très drôle que je fasse la cour à sa sœur. Tels que je les connais, les Pluttkorten se feront un plaisir de raconter l'histoire à qui voudra l'entendre. Je les imagine en train de décrire par le menu les péripéties de cet imbroglio. Et Laura me considérera à coup sûr comme un idiot qu'on ne saurait prendre au sérieux. Même si je lui plais, elle gardera toujours le souvenir d'un garçon touchant, mais un peu niais. » Il dit à voix haute :

— Je ne veux pas !

Il n'avait pas vu venir le vieux Meerkamp qui lui demanda :

— De quoi parlez-vous ?

Eberhardt sursauta.

— Mon Dieu, Meerkamp, vous m'avez fait une belle peur !

— D'habitude vous n'êtes pas si peureux, monsieur le Baron...

— Je vous dispense de vos commentaires, Meerkamp. Oui, c'est vrai, elle est revenue, et je sais ce que j'ai à faire, ne vous inquiétez pas !

Meerkamp le regarda et hocha la tête d'un air goguenard.

— Quand il s'agit des femmes, les hommes les plus raisonnables perdent parfois la raison et ne savent plus ce qu'ils font, si je peux me permettre cette remarque, monsieur le Baron.

Eberhardt éclata de rire.

— Vous pouvez, Meerkamp, vous pouvez ! Vous auriez tort cependant de sous-estimer un von Bercken !

— Où est passé Arco ? D'habitude, il ne vous quitte pas d'une semelle.

— Il est couché sous le bureau. Depuis que notre collaboratrice est de retour, il ne la quitte plus. Il en perd la tête !

Meerkamp se mit à ricaner.

— C'était ce que je voulais dire, monsieur le Baron. Les chiens, dans ces cas-là, ont bien des points communs avec les hommes.

Eberhardt devait s'avouer qu'il était nerveux. Il avait du mal à se concentrer sur son travail et ne savait que faire.

L'ambiance du déjeuner fut presque mondaine — Laura et Eberhardt parlèrent de choses et d'autres, avec politesse et même une certaine retenue. Les efforts culinaires qu'avait faits Mme Paulsen pour ce déjeuner de retrouvailles ne parvinrent pas à dégeler l'atmosphère.

— Il faut que j'aille voir le garde forestier, tout à l'heure, dit Eberhardt. Vous pourriez peut-être m'accompagner, mademoiselle von Sorppen. Ainsi, vous verrez comment les choses se passent et à l'avenir, vous pourrez vous débrouiller seule.

— Quand partons-nous, monsieur von Bercken ?

— Dans une demi-heure. Nous irons à cheval.

— Parfait.

La journée était fraîche, mais ensoleillée. La forêt avait encore les couleurs de l'automne. Une corneille lança son croassement à l'arrivée des intrus. D'autres oiseaux prirent le relais et ce fut un concert de cris, de pépiements divers. A chaque coup de vent, des feuilles se détachaient des arbres et tombaient sur les cavaliers et leurs montures ; elles s'accrochaient dans la crinière des chevaux.

Laura avait demandé à Eberhardt qu'on lui donnât Dannyboy.

— Il me rappelle mon cher Luxor.

Ses yeux brillants montraient son émotion.

— C'est un cheval capricieux, vous savez.

— Je crois qu'il m'aime bien.

Et c'était vrai. Dannyboy semblait l'aimer beaucoup. Eberhardt put constater que le cheval irlandais lui obéissait. Jamais il ne l'avait vu aussi docile.

Quand une branche l'égratignait au passage et qu'il faisait un écart, elle se penchait et lui caressait l'encolure. Dannyboy redressait alors la tête et se calmait.

Le sentier de forêt s'était élargi et les chevaux purent bientôt marcher côte à côte. Carmencita essayait de se rapprocher de Dannyboy. Eberhardt regarda la jeune femme qui chevauchait à ses côtés. Arco les accompagnait, partant parfois en éclaireur loin devant, pour revenir ensuite sur ses pas. Un homme, son cheval et son chien... Et dire qu'à une certaine époque, cela avait représenté pour Eberhardt le bonheur parfait ! Il avait fallu cette randonnée avec Laura pour qu'il se rendît compte de tout ce qui lui manquait encore...

Cette jeune femme qui chevauchait à ses côtés lui faisait savourer une joie de vivre nouvelle.

Elle souriait. Ses yeux brillaient, ses joues étaient roses. Une coccinelle s'était posée sur le revers de sa veste.

Ils poussèrent leurs chevaux et partirent au grand galop.

Avec le garde forestier, ils évoquèrent les

coupes à faire dans la forêt et les mesures nécessaires à la protection du gibier. Laura fut parfaite. Ils burent le café que leur avait préparé la femme du garde forestier.

Au retour, ils se lancèrent à travers champs au grand galop. Eberhardt savait que Laura ressentait autant que lui le plaisir de la course. Ils parvinrent au ruisseau.

— Doux, tout doux, Dannyboy, dit Laura.

Le cheval bondit et franchit l'obstacle. Carmencita le suivit.

Arco, désespéré, les regardait de l'autre rive. On lui avait déjà fait cette mauvaise plaisanterie à plusieurs reprises.

Il se résolut à sauter et aboya pour qu'on le félicitât de son exploit. Ce qui fut fait. Laura et Eberhardt mirent pied à terre dans la cour. Meerkamp les attendait devant les écuries.

— Nixi a du mal à mettre bas, dit-il. Elle n'a pas bien choisi son moment...

Les douleurs avaient commencé. Nixi tremblait et les regardait d'un air suppliant. Elle était couverte de sueur.

— Il faut que nous appelions le vétérinaire, dit Eberhardt.

— C'est déjà fait, répondit Meerkamp.

— Et alors ? Il vient ?

— Il devrait arriver d'un instant à l'autre.

Mike Kringel, après de longs efforts, aida Nixi à pouliner. Le poulain était magnifique.

— C'est une pouliche, dit-il. Tout le portrait de sa mère !

Nixi était une jument isabelle, robe jaune et crinière grise. Elle était de faible constitution et on avait craint qu'elle ne pût porter jusqu'au terme.

La pouliche se leva avec peine et s'approcha de sa mère d'un pas encore mal assuré. Elle se mit à téter.

Nixi avait porté son poulain onze mois. Maintenant, enfin calme, elle demeurait immobile pour laisser la pouliche téter.

— Venez, rentrons, dit Eberhardt von Bercken. Vous aussi, Meerkamp.

— Je vous rejoins tout de suite.

Eberhardt avait remarqué les regards qu'avaient échangés Laura et Mike. Il était convaincu qu'ils s'étaient mis d'accord au téléphone.

« La grande inconnue dans cette histoire, c'est moi », pensa Eberhardt.

— Nous dînerons au champagne, dit-il. C'est un jour de fête.

Il alla chercher une bouteille de Dom Pérignon à la cave et la déboucha. Il les servit et dit encore :

— Nous avons bien des choses à fêter. Il y a d'abord la naissance de la pouliche de Nixi. Je sens que ce sera une jument superbe, qui, je l'espère, gagnera des courses. L'événement vaut bien que l'on sable le champagne.

Laura, d'abord inquiète, se sentit soulagée en entendant le petit discours d'Eberhardt. Il n'en resta pas là.

— Avant de goûter au repas de Mme Paulsen, nous devons arroser un autre événement.

Eberhardt avait envie de rire. La situation l'amusait. Laura semblait affolée. Elle s'imaginait toujours qu'il la prenait pour Mlle von Sorppen, la petite-fille des Pluttkorten.

— Mike, tu auras la primeur de la nouvelle. Mlle von Sorppen a décidé de transformer sa période d'essai en engagement ferme.

— Tous mes compliments... dit Mike.

« Quel hypocrite ! » pensa Eberhardt.

— Je n'ai pas terminé. Nous pouvons le lui dire, n'est-ce pas, Ren ? Nous avons l'intention de nous fiancer de façon très officielle, Ren et moi. L'engagement dont je parlais à l'instant n'est pas d'ordre professionnel, c'est un engagement très... personnel !

— Toutes mes félicitations, dit Mike.

Il semblait embarrassé.

« Le pauvre ne doit plus savoir où il en est, pensa Eberhardt. Je suis sûr que Laura lui a expliqué que cette histoire de fiançailles n'était qu'une plaisanterie. Il doit espérer que mes sentiments pour sa sœur seront si forts que je leur pardonnerai la supercherie. »

— Viens près de moi, chérie, dit-il.

Elle s'approcha de lui et il posa son bras sur ses épaules. Laura rougit.

Eberhardt leva son verre et trinqua avec elle. Puis il la tourna doucement vers lui, se pencha et l'embrassa.

Laura aurait voulu dire :

125

— Arrêtons, ce n'était qu'une plaisanterie.

La présence d'Eberhardt, le baiser et sa tendresse la troublaient tant qu'elle ne put rien dire.

Mike Kringel but son champagne un peu vite. Il ne comprenait plus rien à rien. Rien ne se passait comme il l'avait escompté. Ni Laura ni Eberhardt ne se comportaient de façon sensée... Mike était perplexe.

Il connaissait pourtant bien Eberhardt, un homme qui ne se laissait pas facilement approcher par une femme. Et voilà qu'il se mettait à embrasser en public une jeune femme qu'il prenait pour une autre ! Mike n'imaginait pas qu'Eberhardt fût capable de lui jouer la comédie.

Ce qui troublait Mike était la façon dont Eberhardt se comportait avec Laura. Il avait pris une voix si douce pour lui dire : « Viens près de moi, chérie ». Et Laura qui avait paru bouleversée... Mike perdit toute son assurance, lui qui s'était toujours pris pour un don Juan.

6

Mike Kringel venait de terminer ses consulta-
tions lorsque son assistante lui tendit le combiné
du téléphone.

— Il y a une urgence à Pluttkorten, docteur, lui
dit-elle.

Depuis le jour où il avait découvert qu'il était
attiré par Renate, le seul nom de Pluttkorten le
bouleversait.

— Allô, ici le docteur Kringel.

— Bonjour, Renate von Sorppen à l'appareil.
C'était elle !

— On vient de me dire qu'il y avait une
urgence chez vous. C'est grave ?

— C'est très grave. Je me sens si seule ici, à la
campagne...

— Je ne vois qu'un seul remède à cela : venez
chez moi et jetez un coup d'œil à ma collection de
films vidéo...

— A vrai dire, c'est moi qui voulais vous

inviter à Pluttkorten. Mes grands-parents vont à leur réunion de bridge chez des amis, cet après-midi. Je suis toute seule ici, et...

A l'idée de retrouver Renate seule chez elle, Mike se sentit heureux.

— Il paraît que je suis très doué pour égayer les séjours campagnards !

— Venez tout de suite si vous pouvez. Je suis impatiente de vous voir.

— J'arrive !

L'assistante de Mike, Mme Muller, qui en avait vu bien d'autres au cours des années passées dans le cabinet de ce Casanova, poussa un soupir résigné. Heureusement pour elle, Mme Muller était trop âgée, trop quelconque et surtout, elle aimait trop son mari pour qu'il s'intéressât à sa personne.

« Voilà une victime de plus, pensa-t-elle. Les femmes sont trop bêtes. Il suffit que ce don Juan fasse son apparition pour que toutes se laissent séduire. Les femmes n'ont aucune pudeur ! »

Mike savait ce qu'elle pensait, il s'en moquait. Il sifflotait en se vaporisant la poitrine d'eau de toilette. Il passa une chemise, mit des chaussettes et un caleçon neufs, un pantalon et enfila une veste en cuir. Pour finir, il se frictionna le visage d'after-shave.

Il sauta dans sa voiture en espérant qu'elle démarrerait.

Il faisait un temps superbe. Il se sentait d'humeur optimiste en pensant aux yeux de Renate, à sa silhouette, à ses cheveux. C'était vraiment une ravissante personne, et il s'y connaissait ! Il savait qu'elle ne le décevrait pas.

Arrivé au domaine de Pluttkorten, il se gara loin de la maison. Le régisseur n'avait pas besoin de savoir qu'il était là. De toute façon, il préférait être discret et éviter les ragots.

Il descendit de voiture et un troupeau d'oies se précipita sur lui. Difficile de calmer des oies en furie... Il essaya de prendre à la gorge le jars qui mordait sa veste.

— Sale bête !

Le régisseur accourut à ses cris. Ils finirent par venir à bout des harpies et les refoulèrent jusqu'à leur enclos.

Là, Mike découvrit Renate von Sorppen, la mine faussement désolée, un doigt dans la bouche, comme un enfant qui a fait une bêtise. Elle riait.

— Je suis désolée. C'est moi qui ai ouvert la porte par mégarde. Mon Dieu, docteur, j'espère que vous n'avez pas de mal !

Mike se remettait tout juste de ses émotions. En tout cas, ses efforts de discrétion avaient été vains. Il tenta de rester digne et répondit :

— Ce n'est rien, tout va bien. Mon tailleur arrangera l'accroc à ma veste. Quant au pantalon... il en a vu d'autres !

Elle lui dit à l'intention du régisseur qui vérifiait la clôture :

— Je suppose que vous vouliez voir mes grands-parents. Vous n'avez pas de chance, ils sont sortis. Entrez tout de même, vous avez besoin d'un petit cognac pour vous remettre de vos émotions.

Ils traversèrent le vestibule, montèrent le grand escalier et arrivèrent enfin, après un dédale de couloirs interminables, dans une pièce qui servait à la fois de salle de séjour et de chambre à coucher. C'était une sorte de studio. Mike reprit espoir.

— Oui, c'est ici que j'habite, dit Renate. J'espère que ce jour marquera le début d'une belle et grande amitié entre nous, comme vous le disiez l'autre jour, mon cher Mike. Je suis sûre que vous êtes venu avec l'intention de me séduire, n'est-ce pas ?

— Je vous demande pardon ?

Mike était interloqué. Il la regarda d'un air choqué. Elle avait enfreint les règles de la plus élémentaire bienséance. Dans son esprit, c'était à l'homme de se montrer entreprenant et à la femme d'affecter l'innocence...

Renate ressemblait à un lutin. Elle avait une belle bouche et des dents très blanches.

— Non, non, Mike, n'ayez aucun scrupule, je sais à quoi vous pensez. Laissez-vous aller. Pourquoi ne nous tutoyons-nous pas ?

— Qu'est-ce que ça signifie ?

— Tu le sais fort bien, chéri. Tu m'as l'air un peu timide, hein ? Ne t'inquiète pas, je suis là. Je vais t'aider.

Elle s'approcha de lui et commença à déboutonner sa veste et sa chemise d'une main experte.

« Bon, pensa Mike, puisqu'il en est ainsi, je vais jouer le jeu. De toute façon, je n'ai pas le choix. » Il se sentait mal à l'aise. Il tenta de la prendre dans ses bras, elle se déroba.

— J'ai une idée, dit-elle. Reste là, et surtout, ne bouge pas.

Elle se dirigea vers la fenêtre et ferma les volets. Elle alluma la lampe de chevet et recouvrit l'abat-jour d'un foulard rouge. Elle prit dans un tiroir un flacon et vaporisa du parfum en virevoltant à travers la pièce.

— Je vais dans la salle de bains me changer. Veux-tu un peu de musique ?

Elle mit une vieille cassette de Bing Crosby, lui adressa un sourire hypocrite et disparut dans la salle de bains.

Mike ne savait que penser.

« Ça alors ! se dit-il. On aurait dit une *vamp* hollywoodienne des années trente. Une vraie Mae West ! Et pourtant, elle est d'une excellente famille. Ces féministes sont redoutables ! »

Elle sortit de la salle de bains. Mike se prépara à l'épreuve qui l'attendait. Il fallait maintenant prouver sa virilité. Il s'avança vers Renate, bras tendus, pour accomplir le rituel de séduction. D'habitude, avant cette phase, il avait déjà fait un brin de cour à ses conquêtes. Il aimait les courtiser afin de faire durer le plaisir. Renate avait fait de lui un automate. On met une pièce, on appuie sur le bouton et on obtient un paquet de cigarettes ou de bonbons. Ces femmes dites libérées n'étaient pas très expertes dans l'art amoureux...

— Renate, chérie...

A nouveau, elle se déroba.

— Mike, si nous lisions ensemble un chapitre du Kâma sûtra, tu sais, cette initiation à l'amour hindou. Tu vas voir, ça nous mettra dans l'ambiance.

Le visage de Mike s'allongea... La tournure que prenaient les événements n'était pas à son goût.

— Une initiation à l'amour hindou ? A quoi bon ?

— Question de technique, mon chéri. Je suis persuadée que tu manques d'expérience...

Cette fois, c'en était trop. Mike était furieux. Il ne se sentait plus du tout détendu auprès d'elle et regrettait d'être venu. Après sa mésaventure avec les oies, voilà qu'il devait se prêter à une comédie ridicule !

Il décida de passer à l'offensive et il la serra contre lui. Renate poussa un cri, puis elle lui dit d'un ton décourageant :

— Attention, chéri ! N'oublie pas les préliminaires !

Mike fit de son mieux, mais le résultat fut... pitoyable.

« C'est un monde, tout de même, pensa-t-il. C'est la première fois qu'il m'arrive une chose pareille. Cette garce m'a gâché tout mon plaisir avec sa mise en scène ridicule. »

Renate ne l'épargna pas.

— Ce n'est rien, chéri. Ça peut arriver à tout le monde. Tu manques d'expérience, voilà tout.

Mike jugea préférable de battre en retraite. Il

prit congé de Renate et retourna à sa voiture, la tête basse. Il était arrivé à Pluttkorten en conquérant et c'était Waterloo ! Il était furieux.

« Mike, tu viens de te déshonorer, se dit-il. Cette femme s'est moquée de toi et ce n'est pas acceptable. »

Il décida de prendre sa revanche : un jour, il la tiendrait dans ses bras et il saurait lui montrer quel amant il pouvait être.

— Je veux que tu m'aimes !

Il sursauta.

« Allons bon ! Que m'arrive-t-il ? Je n'ai jamais attaché d'importance à l'amour des femmes. L'amour, ça n'apporte que des problèmes et des complications, au moment des adieux surtout. Cette fois... Cette fois, j'ai l'impression que les choses sont différentes. »

Il sourit tout à coup et murmura :

— J'ai trouvé une partenaire à ma mesure. La bataille n'est pas perdue.

Renate, énervée, était descendue au salon et s'était versé le verre de cognac qu'elle avait promis à Mike. Son stratagème avait marché, mais elle n'était pas sûre d'avoir atteint son objectif. Peut-être l'avait-elle dégoûté d'elle... Ou bien il ne voudrait pas oublier la leçon qu'elle lui avait donnée. Pour Mike, elle était devenue celle qui avait eu le culot de lui résister et ne lui était pas tombée dans les bras. Voilà qui devait être nouveau pour lui !

« Il était irrésistible, avec son air d'arroseur

arrosé! Je n'aurais jamais cru qu'il serait aussi facile de lui faire perdre ses moyens. Il semblait tout perdu, le pauvre chéri! Il se pourrait que je tombe amoureuse de lui... »

Elle s'étira dans son fauteuil. Avec ses cheveux ébouriffés, sa belle bouche, son teint bronzé et son petit nez en trompette, elle ressemblait à un de ces jeunes bergers peints par Murillo. Elle portait un déshabillé de soie vert pâle qui dévoilait la naissance de ses seins et retombait, à la manière d'une robe empire, jusqu'à ses pieds dont on apercevait les ongles vernis. Elle se recroquevilla dans son fauteuil et réfléchit. Il ne lui restait plus qu'à attendre la réaction de Mike.

« Mon Dieu, pensa-t-elle, tout cela ne serait pas arrivé à Berlin. Dans une grande ville, on est toujours pressé. On ne prend jamais le temps de souffler et de goûter aux vrais plaisirs de l'existence. Il n'y a qu'à la campagne que l'on peut redécouvrir l'art du marivaudage... »

Lorsque Mike rentra chez lui, M\ :sup:`me` Muller était déjà partie. Il se regarda dans la glace du vestibule et détourna les yeux : ce vagabond aux vêtements à moitié déchirés et à la mine déconfite ne pouvait être le Dr Kringel. Le beau Dr Kringel, toujours si soigné de sa personne, toujours si séduisant... Il n'aurait pas voulu que M\ :sup:`me` Muller le vît dans cet état !

Mike pensait à sa mésaventure et il essayait de comprendre ce qui lui était arrivé. Il se demanda si Renate n'aurait pas laissé exprès s'échapper les oies. Elle en était capable! Dans ce cas, elle pouvait tout aussi bien avoir monté de toutes pièces cette comédie, dans sa chambre à coucher. C'était clair, elle avait voulu prendre sa revanche. « Il n'y a que mon aveuglement que je ne m'explique pas, pensa-t-il. Moi qui me charge de la stratégie amoureuse de ma sœur, je me laisse piéger à la première occasion! *Piéger*, c'est le mot. »

Mike, affalé dans son fauteuil, ressemblait à un clochard. Sa veste ne ressemblait plus à grand-chose.

« Vous ne perdez rien pour attendre, les oies. Je prendrai ma revanche lors de mon prochain foie gras. Et croyez-moi, je le dégusterai avec un plaisir rare. Et toi, Miss von Sorppen, je te réserve un chien de ma chienne. Ma veste vaut une petite leçon! »

Le téléphone sonna. Il espéra un instant entendre Renate s'excuser et, peut-être, l'inviter à nouveau. L'appel venait du domaine de Bercken. Une jument était sur le point de pouliner et on le réclamait. Il se changea en vitesse. Quelle journée!

Sa voiture mit longtemps à démarrer. C'était bien la peine de l'avoir fait réviser! Mike était de très mauvaise humeur en roulant vers le domaine de Bercken. La nuit commençait à tomber. Le soleil disparaissait à l'horizon dans une orgie de rouge, de violet et d'orange. Un écureuil bondissait dans un chêne. Les feuillages se fondaient dans la pourpre du crépuscule.

On apercevait entre les arbres la tour du domaine. Sur le toit flottaient les couleurs des Bercken. Le spectacle était beau et Mike se sentit un peu rasséréné.

Puis on but le champagne pour fêter la naissance de la pouliche de Nixi et les « fiançailles » d'Eberhardt et de Laura. Mike se sentit de nouveau abattu. Il aimait sa sœur et ne supportait pas de voir son ami Eberhardt la tenir dans ses bras. Et Laura qui se laissait faire ! Elle semblait envoûtée par Eberhardt.

Mike aurait voulu arrêter cette plaisanterie douteuse. C'eût été trahir sa sœur.

Après le dîner, Laura et Eberhardt étaient assis l'un près de l'autre sur le canapé du salon. Eberhardt la tenait par les épaules. L'autre main reposait sur le genou de Laura. De temps à autre, il l'embrassait dans le cou. Il semblait heureux.

Mike était inquiet.

« Il va piquer une fameuse colère lorsqu'il apprendra que l'heureuse élue n'est pas Renate von Sorppen, mais Laura Kringel, la sœur de son ami Mike. Pourvu qu'il ne me provoque pas en duel ! Il en serait capable, vieux jeu comme il est. »

Eberhardt triomphait. C'était enfin lui qui tirait les ficelles de l'intrigue. Cette ravissante jeune personne n'en menait pas large. Quant à Mike, il avait l'air avantageux d'une vache surprise par le tonnerre... Eberhardt était satisfait de ses talents de comédien. Mike et Laura paraissaient n'avoir rien deviné. Il dit :

136

— Mon cher Mike, je m'attendais en fait à un peu plus d'allégresse de ta part le jour où je prends la décision de refaire ma vie. Tu as l'air bien sombre. Il y a quelque chose qui ne va pas ? Dis-moi, nous pouvons parler franchement tous les trois. Est-ce que par hasard tu ne serais pas un peu amoureux de Ren, toi aussi ?

Mike perdit son sang-froid :

— Ne raconte pas n'importe quoi !

Il se reprit et s'empressa d'ajouter :

— Je ne peux nier que Renate est charmante, mais nous nous connaissons à peine et...

« Si je ne savais pas que tu es son frère, pensa Eberhardt, je te trouverais touchant. Tu ne perds rien pour attendre, mon gaillard... »

Lorsque Mike fut reparti, Eberhardt reprit un ton distant pour s'adresser à Renate.

— Je pense que cela suffit. Il avait l'air furieux. Merci de votre complicité, mademoiselle von Sorppen. J'espère que cela lui servira de leçon. C'est un vrai don Juan, je vous assure. Je me demande d'ailleurs ce que les femmes peuvent lui trouver. Moi, je sais que sous l'apparence agaçante du séducteur, c'est quelqu'un de bien. Je vous laisse, j'ai encore du travail. Bonne nuit.

— Bonne nuit.

Laura avait de la peine à parler, encore émue de la tendresse qu'Eberhardt lui avait témoignée durant la soirée. Et puis il l'abandonnait. Arco allait de l'un à l'autre. Un peu malheureux, il se résolut à suivre son maître qui quittait la pièce.

Dans son bureau, Eberhardt se laissa tomber

dans son fauteuil et se prit la tête entre les mains. Il était lui-même loin de se sentir aussi détaché qu'il avait voulu le faire croire à Laura. Il pensait à la douceur de ses cheveux, à l'odeur de sa peau, à ses yeux clairs. Elle rougissait facilement et, il en était sûr, elle avait tremblé lorsqu'il l'avait embrassée. La plaisanterie devenait pénible.

« Que vais-je faire si la femme que j'aime se détourne de moi ? Peut-être l'ai-je blessée ? Je voudrais qu'elle me comprenne. Je ne pouvais tout de même pas me laisser manœuvrer et tenir un rôle aussi ridicule. »

Il leva la tête et poussa un soupir. Un bouquet de fleurs mauves et jaunes remplaçait l'orchidée.

Il pensa à Mike. Et sourit avec férocité. Quel traître ! Mike était la cause de tout. C'était lui qui l'avait attiré dans ce piège. Il s'était même servi de sa propre sœur pour arriver à ses fins. Il méritait d'être rappelé à l'ordre.

Eberhardt se leva et alluma la radio. Une femme disait :

— Chers auditeurs, veuillez écouter maintenant notre émission : « Blues au cœur de la nuit ».

Puis la musique de Duke Ellington retentit. Joie et nostalgie...

Eberhardt se détendit. Arco, qui s'était couché près du canapé, se leva et dressa l'oreille.

— Tu ne vas pas te mettre à « chanter », toi aussi. Couché, Arco !

Certaines mélodies et certains instruments transformaient Arco en chanteur de charme. Il tendait alors le museau vers le ciel, et poussait des gémissements. Il était surtout sensible au piano et au blues.

Arco regarda son maître qui, d'habitude, riait de ses prestations artistiques. Ce jour-là n'était pas un jour habituel.

Arco se recoucha et ferma les yeux. Eberhardt se mit à rire.

— Nous allons le faire mijoter dans son jus, ce Mike. N'est-ce pas, Arco ?

Arco ouvrit les yeux. Eberhardt décrocha le téléphone et composa le numéro de Mike.

Laura était montée dans son appartement. Elle avait ouvert la fenêtre en grand et s'était accoudée. La nuit était limpide. La lune ressemblait à un lampion accroché de travers. Quelques nuages noirs passaient entre les étoiles.

Le parc était silencieux. Il protégeait le domaine des bruits extérieurs. Quelques lanternes brillaient çà et là.

Laura avait envie de pleurer. Elle ne savait plus si elle devait continuer ce jeu absurde. Elle était amoureuse d'Eberhardt et à sa merci. Elle l'aimait, de même qu'elle aimait ce qui composait son univers : les animaux, les bâtiments de la ferme, la grande demeure, les arbres et les sentiers qui se faufilaient à travers le parc. Elle craignait de devoir quitter bientôt le domaine.

« Je suis sûre qu'il va me renvoyer ! Mon Dieu, je ne pouvais pas deviner l'importance qu'il prendrait pour moi, sinon, je ne me serais jamais lancée dans une aventure pareille. Je ne sais plus où nous en sommes. Eberhardt croit avoir rendu Mike jaloux. Que fera-t-il lorsqu'il apprendra que Mike est mon frère et que nous lui avons fait une farce ? Nous avons eu tort de mêler à cette affaire Renate et les Pluttkorten. Aussi, c'est la faute d'Amélie von Pluttkorten, avec ses idées. Ce qui avait pu réussir dans sa jeunesse était impossible aujourd'hui. On est devenu plus prosaïque et plus méfiant. »

Laura se regarda longuement dans le miroir de sa chambre. Un air frais s'engouffrait dans la pièce par la fenêtre grande ouverte. Avant le dîner, elle s'était changée. Elle avait troqué sa tenue d'équitation contre une petite robe de laine blanche. Ses cheveux blonds lui tombaient sur les épaules, mettant en valeur son teint bronzé. L'acajou des meubles reflétait la lumière de la lampe.

Elle se dit qu'elle ressemblait à une mariée et chassa cette pensée.

Elle enleva sa robe.

« Dans un premier temps, je ne ferai rien et laisserai les choses suivre leur cours. Il sera toujours temps de faire mes bagages si ma présence devient importune. »

Elle referma la fenêtre et alluma la radio. La même speakerine disait :

— Chers auditeurs, veuillez écouter maintenant notre émission : « Blues au cœur de la nuit ».

Laura ferma les yeux. Cette musique convenait à ses états d'âme.

Au bout d'un moment, elle se leva et éteignit la radio. La musique la dérangeait. Elle avait besoin de calme.

« Je sens que je ne vais pas fermer l'œil de la nuit. »

Cependant, elle ne tarda pas à s'endormir.

Mike Kringel était rentré chez lui. D'habitude, lorsqu'il revenait d'une aventure nocturne, il se préparait un thé bien fort, avec du miel et une lampée de rhum. Son élixir de vie.

Ce jour-là, il s'affala sur son canapé. Il broyait du noir. Il n'avait plus rien d'un don Juan.

« Ça va mal, pensa-t-il. Qui aurait pu penser qu'une plaisanterie aussi anodine pourrait prendre de telles proportions ? »

La pauvre Laura était venue le voir de Berlin pour surmonter une déception sentimentale. A peine avait-elle quitté un homme qui la rendait malheureuse, qu'elle s'embarquait dans une autre histoire. Comment tout cela allait-il finir ? Il était trop tard pour convaincre Eberhardt qu'il ne s'était agi que d'une plaisanterie sans importance.

« Nous nous sommes laissé dépasser par notre scénario, se dit-il. Et avec ça, j'ai trouvé le moyen de me ridiculiser aux yeux de Renate ! »

A cet instant retentit la sonnerie du téléphone. Mike hésita à répondre. Les derniers appels ne lui avaient apporté que des ennuis. Sa curiosité l'emporta sur sa prudence. Eberhardt lui dit d'une voix tonitruante qui le fit sursauter :

— Mike, vieux frère ! Tu es rentré à pied ou quoi ? Cela fait plusieurs fois que j'essaie de te joindre, sans succès. Dis-moi, entre nous, comment la trouves-tu ? N'est-elle pas adorable ? Elle viendrait à bout du célibataire le plus endurci, tu ne crois pas ? En tout cas, c'est l'effet qu'elle me fait.

Mike se décida à dire enfin la vérité :

— Ecoute-moi, Eberhardt, j'ai quelque chose à t'avouer...

Au moins, il n'avait pas à craindre une réaction violente d'Eberhardt. Celui-ci ne lui laissa pas le temps de parler.

— Ce n'est pas la peine, mon vieux, je sais ce que tu vas me dire. J'ai tout compris dès le premier instant. Tu es fou amoureux d'elle, n'est-ce pas ?

Mike essaya de dissiper le malentendu.

— Eberhardt, les choses sont tellement...

— Ne t'inquiète pas, Mike. Tu me connais. Je redoute de me lier à une femme. Avec elle, le problème ne se pose même pas : l'amour n'a rien à voir avec nos fiançailles. Je la trouve exquise, c'est tout. Et pourquoi me refuser un petit plaisir ? D'ailleurs, ce genre d'histoires est fréquent. On ne compte plus les femmes qui prétendent chercher un travail et ne veulent qu'une aventure... En fait, elle ne peut m'assister comme je le voudrais au domaine. Je m'en suis tout de suite aperçu. Cette histoire n'engage personne. Il ne

s'agit que d'une aventure agréable et sans lendemain. Elle repartira vers d'autres horizons. Peut-
être atterrira-t-elle chez toi, mon vieux. Qui sait ?
Ne perds pas courage !

— Eberhardt ! Vas-tu m'écouter ? J'ai quelque
chose d'important à te dire.

Mike perdait patience.

— Excuse-moi, Mike, il faut que j'aille la voir
maintenant. Ce sera pour une autre fois, d'accord ? Je suis heureux de voir qu'elle te plaît
aussi. Chaque homme apprécie qu'un vieux
copain lui envie sa maîtresse.

— C'est ma sœur, imbécile ! C'est Laura !

Ce fut peine perdue. Eberhardt avait déjà rac-
croché. Mike se leva et se mit à tourner en rond
dans la pièce.

« Il est vraiment impossible ! Il ne m'écoute
même pas. Et quand je pense à la façon dont il
traite Laura ! Quel comportement ! »

Après tout, Eberhardt se comportait peut-être
comme lui, Mike, avait l'habitude de le faire avec
les femmes...

« Holà ! Pas si vite ! Dans le cas présent, c'est
tout différent ! Il ne s'agit pas de n'importe qui :
Laura est ma sœur. Il faut que j'intervienne. Elle
l'ignore, mais il la mène en bateau. »

Il se précipita à nouveau sur son téléphone et
tenta d'appeler Eberhardt von Bercken. Personne
ne décrocha. Peut-être était-il déjà trop tard...

Il essaya une dernière fois de joindre Eberhardt. Il laissa le téléphone sonner longtemps,
sans succès.

Eberhardt se tenait à côté de son téléphone et prenait plaisir à l'entendre sonner.

— Vois-tu, Arco, il est en train de paniquer, notre ami ! dit Eberhardt. Il peut toujours essayer de me parler, le domaine de Bercken ne répond plus. Silence radio total ! Eh oui, mon cher docteur Kringel, vous n'avez que ce que vous méritez.

Il se frottait les mains et semblait si content qu'Arco alla chercher son bouchon sous le canapé. Il le déposa aux pieds de son maître. Cette fois, Eberhardt ne refusa pas le jeu. Du bout du pied, il envoya le bouchon rouler à l'autre bout de la pièce. Arco se précipita et le rapporta. Les choses, pour lui, étaient rentrées dans l'ordre.

Laura rêva cette nuit-là qu'elle se trouvait dans une rue très longue et très étroite. Il faisait très sombre et elle était seule. A la lueur d'un lampadaire, elle vit briller quelque chose. Elle s'avança vers la lumière et aperçut une pièce d'un mark. Elle la ramassa et la glissa dans la poche de son manteau de fourrure. Un peu plus loin, elle découvrit une deuxième pièce, puis une autre et une autre encore. Le sol était jonché de pièces neuves, étincelantes.

Elle les ramassa toutes et parvint ainsi au bout de la rue. Deux hommes à l'allure peu rassurante marchaient vers elle. Elle se retourna et voulut s'enfuir, mais les poches de son manteau étaient lourdes des pièces qu'elle venait de ramasser et elle ne pouvait avancer que très lentement. A

144

l'autre extrémité de la rue, il y avait deux gaillards impressionnants qui lui barraient la route. Ils étaient armés de gourdins et ils avaient de longues barbes. Ils portaient des masques.

Elle se mit à hurler le prénom d'Eberhardt.

Elle se sentait toute légère. Elle écarta les bras et s'envola.

Du haut du ciel, elle apercevait une prairie, vingt mètres plus bas. Son manteau avait disparu et sa robe était légère, aérienne. Les pièces de monnaie virevoltaient autour d'elle, comme de petites étoiles.

Elle n'éprouvait ni peur ni vertige, mais une sensation de bien-être. Elle reconnut le pâturage du domaine de Bercken. Carmencita et Dannyboy galopaient au loin, parmi les boutons d'or et les coucous.

La brise faisait onduler les branches des arbres comme l'eau d'un étang. Un nuage de brume l'enveloppa et la déposa sur le sol.

La brume dissipée, elle vit un troisième cheval qui traversait le pré. Un grand cheval noir, qui ressemblait à Dannyboy.

C'était Luxor! L'animal hennit. Sans savoir comment, elle se retrouva sur son dos et ils partirent au grand galop. Eberhardt galopait à ses côtés comme il l'avait fait quelques jours plus tôt. Ils s'enfoncèrent dans une énorme boule de feu qui se referma derrière eux. Elle ne voyait rien, mais elle sentait la présence de l'homme qu'elle aimait. Il y eut un bruit de klaxon, puis une voix d'homme, et les aboiements d'un chien.

Laura s'éveilla. Elle sauta de son lit et, dans sa précipitation, elle manqua de glisser. Il faisait nuit. Elle avait rêvé mais les bruits, eux, étaient réels.

Elle courut vers la fenêtre et regarda dehors. Son frère Mike, planté à côté de sa voiture, paraissait très agité.

Arco se précipitait déjà pour lui faire fête. Eberhardt s'approcha. Laura eut un mouvement de recul et se cacha derrière le rideau. Eberhardt était tout habillé et ne s'était pas encore couché. Mike semblait furieux et Eberhardt très calme. Elle eut même l'impression que Mike allait se jeter sur Eberhardt. Celui-ci le saisit par le bras.

« Tiens, pensa Laura, il a eu ce même geste avec moi pour me saisir le bras. Je ne pouvais pas lui résister. Ensuite, il m'a embrassée... »

Elle ferma les yeux, elle tremblait.

Lorsqu'elle rouvrit les yeux, les deux hommes et le chien avaient disparu. La vieille voiture de Mike, qui était restée là, lui prouva qu'elle n'avait pas rêvé.

Près des écuries, Meerkamp fumait sa pipe en regardant le jour se lever. Il partit bientôt se coucher.

Laura craignait que Mike n'allât révéler la vérité à Eberhardt. Celui-ci serait vexé. Mike et Laura lui avaient fait jouer un rôle idiot. Il ne lui pardonnerait jamais.

Elle décida d'agir avant d'être chassée du domaine. Elle jeta à la hâte quelques chandails dans son sac en oubliant ses robes et quitta sa chambre en courant. Elle dévala l'escalier sans faire de bruit. Arrivée au rez-de-chaussée, elle ouvrit la porte d'entrée.

« Pourvu qu'Arco ne bouge pas ! se dit-elle. Ce serait un comble d'être surprise en flagrant délit de fuite ! »

Elle se glissa jusqu'au garage. Elle n'avait pas pris la peine de s'habiller avant de sortir et s'était contentée d'enfiler son manteau de fourrure sur sa chemise de nuit. Elle grelottait.

La voiture de Mike était mal garée et l'empêchait de sortir du garage.

« Il ne me manquait plus que ça ! Avant que je n'arrive à sortir de là, j'aurai alerté toute la maisonnée. Eberhardt et Mike accourront et j'aurai l'air maligne. Heureusement que j'ai la clé du garage. »

Sans faire de bruit, elle ouvrit la portière de sa voiture, bien petite à côté de la luxueuse berline d'Eberhardt. Elle mit le moteur en marche et parvint à se faufiler hors du garage en frôlant la voiture de Mike. Un bruit suspect l'avertit qu'elle l'avait sans doute égratignée.

Le vieux Meerkamp n'était pas allé se coucher. Il s'était posté derrière un arbre, dans un coin sombre, et observait la scène en se disant que ces personnes de la bonne société avaient d'étranges façons !

« De nos jours, ils en mettent du temps, avant de devenir adultes, pensa-t-il. Ils ont toutes les libertés, ils vivent bien, peut-être même trop bien. Oh... tout finira par s'arranger. »

Fritz Meerkamp était assez âgé pour avoir déjà assisté à bien des drames.

Laura passa le portail de la propriété comme on quitte le paradis. Elle non plus n'était pas innocente !

« Où vais-je aller ? Je ne peux rester dans la voiture jusqu'au lever du jour et je n'ai aucune envie de m'arrêter dans un hôtel. Je vois d'ici la tête que ferait le portier en me voyant arriver sans bagages et dans cette tenue ! Je ferais une impression lamentable, même si je m'emmitouflais dans mon manteau pour cacher ma chemise de nuit. »

A une heure pareille, elle ne pouvait pas davantage sonner chez les Pluttkorten. Elle n'avait pas non plus envie de se réfugier chez Mike. D'ailleurs, elle n'avait pas sa clé.

Partir pour Berlin ? Elle s'aperçut qu'elle n'avait même pas de quoi se changer en entier. Elle avait envie de pleurer mais s'efforça de ne pas se laisser aller.

Elle décida de rouler jusqu'au village le plus proche. Personne ne la connaissait. Elle prétexterait une panne. Si elle restait calme, on l'accepterait à l'hôtel en dépit de sa tenue. Elle avait ses papiers et un peu d'argent.

Elle avait envie de se retourner pour regarder une dernière fois le domaine de Bercken. Ce qu'elle s'interdit de faire.

Elle accéléra, les yeux secs.

Elle prit la nationale qui contournait Engenstedt. Elle conduisait sans penser à rien, comme un automate. Un renard traversa la route. Ebloui par les phares, il s'arrêta au milieu de la chaussée. Laura freina. Le renard reprit sa course et disparut dans les fourrés proches.

Cet instant avait été magique, presque irréel. Le renard allait lui porter bonheur. Elle était même sûre qu'il l'avait regardée.

En tout cas, il l'avait réveillée. Elle était sur le point de s'endormir au volant. La vision du renard l'avait réconfortée et elle envisagea l'avenir d'une façon plus sereine.

Elle arrivait dans une petite localité. L'hôtel de la Poste, une vieille bâtisse romantique, lui parut agréable. Laura gara sa voiture et descendit.

Elle marcha vers l'hôtel en regrettant à cet instant d'être une femme. Personne ne se serait étonné de voir arriver un homme seul et sans bagages, à une heure si matinale. Mais une femme !

Ce village était minuscule et la rue principale silencieuse. L'hôtel, évidemment, était fermé. Il n'y avait aucune lumière, tout semblait abandonné.

Laura tourna la poignée de la porte, en vain. Puis elle découvrit la sonnette, appuya sur le bouton. La sonnerie, stridente, évoquait le hurlement d'un signal d'alarme. Des aboiements venaient de l'intérieur de la maison.

Quelqu'un essayait de calmer le chien. La clé tourna dans la serrure. La porte s'entrebâilla, puis elle s'ouvrit en grand. Laura se retrouva en face de trois énormes chiens.

Elle dut lever la tête pour apercevoir le visage de leur maître. Eberhardt était grand mais l'homme, lui, était un vrai géant.

Ses cheveux roux étaient tout ébouriffés. Laura l'avait probablement tiré du lit. Il portait un survêtement de jogging. Sa voix évoquait la sirène d'un paquebot lorsqu'il lui demanda :

— Qu'est-ce que c'est ?

— Je suis en panne, dit-elle. J'espérais que vous auriez une chambre pour la nuit...

Le géant la regarda d'un air incrédule, puis il hurla :

— Pour la nuit ! Elle en a de bonnes, cette demoiselle. La nuit est finie depuis longtemps.

— Bon, ça ne fait rien.

Laura ne pensait plus qu'à quitter cet endroit sinistre.

Le géant ne lui en laissa pas le loisir. Il la prit par le bras, avec douceur.

— Je plaisantais, voyons. Entrez. Il y a ici toutes les chambres que vous voulez. A vrai dire, elles sont toutes libres.

Il l'entraîna à l'intérieur.

Laura n'avait plus envie de passer la nuit là. Elle s'efforça de cacher sa peur. Car Laura Kringel, conseillère fiscale de son état, avait peur ! C'était ridicule !

Elle se demandait encore ce qui lui avait pris de s'embarquer dans cette histoire.

Le grand rouquin fit un geste du bras pour l'inviter à entrer.

— Je vous en prie.

Il était aussi digne que le maître d'hôtel d'un palace quatre étoiles.

Laura pénétra dans la salle de restaurant de l'hôtel. L'air était enfumé mais la température agréable. L'ambiance lui sembla chaleureuse. Devant les fenêtres étaient disposés des pots de fleurs en céramique. Les trois monstres n'avaient plus l'air aussi menaçants. Ils se couchèrent près de Laura, vigilants tout de même.

— C'est bien un hôtel, ici ?

Le rouquin éclata de rire.

— Evidemment que c'est un hôtel ! répondit-il. Depuis qu'ils ont dévié la nationale, il ne vient presque plus personne. Vous êtes la première cliente de la semaine, c'est dire ! Il faut fêter ça. Je vais commencer par nous préparer un bon petit déjeuner, aux frais de la maison. Ensuite, vous pourrez aller vous reposer. Je veillerai à ce que personne ne vienne vous déranger. A voir votre mine vous avez besoin d'une bonne cure de sommeil. Excusez cette détestable odeur de tabac, mais nous avons joué aux cartes tard dans la nuit, et je n'ai pas vidé les cendriers.

Il se pencha vers elle et lui demanda :

— J'espère que vous n'avez pas peur des chiens, au moins ?

En fait, il lui semblait bien plus redoutable que les chiens...

— Vous êtes sûr qu'ils ne mordent pas ?

— N'ayez aucune inquiétude. Ils ne mordent que si je leur en donne l'ordre. Ce sont les trois mousquetaires — ils s'appellent ainsi — et ils sont inoffensifs. Quand il y a une visite tardive, ils aboient. Où sont vos bagages ?

— Euh... mes bagages ?... Dans la voiture...

Le géant la fit asseoir et prépara un petit déjeuner à la mesure de son appétit : il commença à battre une douzaine d'œufs, prit une énorme miche de pain dont il coupa des tranches, sortit de la charcuterie et du fromage du réfrigérateur, prépara du café à l'aide du percolateur du restaurant comme s'il s'agissait d'abreuver un régiment entier. Ensuite il nettoya la toile cirée, blanche à motifs bleus, avec une éponge d'un aspect peu engageant. Puis il la servit avec l'adresse d'un serveur de restaurant chevronné. Il s'assit enfin en face d'elle et la regarda avec bonne humeur. L'atmosphère se dégelait. Laura se sentait déjà bien mieux.

— Enlevez votre manteau, vous allez avoir trop chaud.

— Je ne peux pas... Je ne suis pas habillée de façon très... ordinaire.

Le géant l'interrompit.

— J'ai compris. Je suppose que vous avez eu des problèmes cette nuit et que vous vous êtes enfuie. Ne dites rien, je ne suis pas très curieux de nature. Ce type devait être un beau salaud !

— Non, pas du tout. C'est nous qui n'avons pas été très gentils avec lui. Je veux dire...

Et elle raconta son histoire. Les trois mousquetaires s'étaient assoupis. De temps en temps, on les entendait pousser de petits gémissements ou soupirer. Parfois, ils grognaient.

Le géant l'écoutait. Lorsqu'elle eut terminé, il lui dit :

— A mon avis, il n'y a pas lieu de s'inquiéter. Tout à l'heure, vous appellerez la vieille dame et vous lui direz où vous vous trouvez. Il faut auparavant vous reposer. Personne ne viendra vous déranger ici. La chambre ne sera peut-être pas dans un état de propreté irréprochable, car ma femme est partie en cure et je ne suis pas très doué pour les tâches ménagères. Quand vous aurez dormi tout votre soûl, vous verrez les choses avec plus de calme. Et puis, si je peux me permettre de vous faire cette remarque, ce type-là, enfin... ce monsieur... il vous aime, c'est clair.

— Vous croyez vraiment ?

Elle semblait incrédule. Il prit un air important.

— Vous savez, j'ai beaucoup aimé les femmes. Je m'y connais. L'amour n'a pas de secret pour moi. Quand vous aurez réglé vos problèmes, vous m'écrirez pour me dire que tout va bien, n'est-ce pas ?

Laura ne put s'empêcher de rire.

— Bien sûr, je vous le promets.

Elle lui faisait confiance.

7

La conversation qui eut lieu entre Eberhardt et Mike au domaine de Bercken commença plutôt mal. Mike prit la parole d'un air désagréable :

— Te rends-tu compte que tu t'es comporté comme un goujat ? Tu veux séduire une jeune femme qui te fait confiance en sachant que tu la plaqueras quand bon te semblera ! Tu n'as pas honte ?

— Et c'est toi qui me dis ça ! Toi qui t'es toujours vanté de tes aventures !

Le ton monta jusqu'à ce que Mike, à bout d'arguments, finît par crier :

— C'est ma sœur ! Tu comprends maintenant ? C'est Laura, Laura Kringel ! Et je ne tolérerai pas que ma sœur...

Eberhardt lui fit signe de se taire.

— Il y a longtemps que je le sais, Mike. J'ai su dès le premier moment que vous aviez décidé de vous amuser à mes dépens. Et je me suis dit que je ne me laisserais pas faire. Et voilà le résultat...

Mike poussa un soupir et se lança dans une nouvelle diatribe, plus violente que les précédentes.

— C'est insensé ! Je t'ai toujours considéré comme quelqu'un de bien, Eberhardt. Et qu'est-ce que je découvre aujourd'hui ? Tu n'es qu'un séducteur dénué de scrupule, un être sans cœur. Le fait que tu sois entré dans le jeu de cette façon ne peut qu'aggraver ton cas. Quand je pense à cette pauvre Laura qui, à l'heure qu'il est, doit se trouver dans son lit, à rêver de toi... Elle ne t'a pas soupçonné un instant, elle. Je te casserais bien la figure ! Tu t'es trahi et c'en est fini de notre amitié. Je vais aller chercher Laura et nous te laisserons. Je ne veux plus jamais avoir affaire à toi. Et tu peux chercher un autre vétérinaire, c'est clair ?

— Ne dramatisons pas, Mike.

« Quand il s'agit des autres femmes, il ne fait pas tant de simagrées, pensa Eberhardt. Je trouve touchante la façon dont il défend sa sœur. »

— Tu vas me raconter en détail comment vous est venue cette idée d'une conspiration contre moi.

Eberhardt avait l'agréable sensation de se trouver en position de force.

— Je n'ai rien à te dire.

— Ce que je vais te dire va te calmer : j'aime Laura.

Mike le regarda avec surprise.

— Tu ne devrais pas plaisanter. Pauvre Laura...

— Je sais : la pauvre Laura se trouve dans son lit, en train de rêver de moi. Et elle me croit sincère. C'est ce que tu as prétendu, n'est-ce pas, Mike ? Mon Dieu ! Réfléchis un peu ! Nous nous connaissons depuis des années, nous sommes amis et tu te comportes comme un débile ! Je croyais que tu me connaissais mieux. J'aime Laura, tu comprends ?

— Tu veux dire que tu l'aimes... vraiment ?

— C'est ce que je viens de te dire. Je l'aime et je n'aurai de cesse de l'épouser. Est-ce assez clair ?

— Ça alors !

— Ça alors !

Eberhardt se mit à rire. Il dit encore :

— Quelque chose m'échappe dans cette affaire. Que se passe-t-il entre toi et Renate von Sorppen ? Je suppose que ce n'est pas un hasard si Laura a pris son nom. « Ren », c'est assez joli. Je suis persuadé qu'elle est ton genre.

Mike eut un mouvement d'humeur.

— Oublie ça, Eberhardt. Elle a l'air d'être une jolie poupée, mais en réalité, c'est une vraie pétroleuse. Quand elle passe à l'offensive, les hommes n'ont qu'à bien se tenir...

Eberhardt von Bercken eut du mal à réprimer un sourire.

— Tu veux dire par là que ton petit numéro de séducteur n'a pas marché avec elle ?

— C'est bien pis ! Elle a eu une attitude tellement déplaisante que je suis reparti comme un chien battu, sans demander mon reste. Ne raconte ça à personne, mon vieux. C'est une expérience douloureuse, tu peux me croire.

Eberhardt sourit.

— Dans ce cas, je suppose que tu en as assez de cette jeune personne...

Le visage de Mike s'obscurcit.

— L'ennui, dans tout ça, vois-tu, c'est que... je crois qu'elle a réussi son coup, dit Mike. Je ne parviens pas à l'oublier. Il ne m'était encore jamais arrivé une chose pareille!...

— Tu es amoureux, voilà tout!

Mike prit un air songeur.

— Maintenant il faut que tu me racontes tout, Mike. Peut-être pourrions-nous nous inspirer de cette conspiration pour mettre au point un plan de bataille destiné à Mlle von Sorppen.

— Tu veux dire que je dois continuer à jouer ce petit jeu?

Mike semblait inquiet.

— Pourquoi pas? Je n'aurais jamais cru que ce genre de distraction m'amuserait. Dès que Laura sera éveillée, je la mettrai au courant de mes projets de mariage. Elle croit encore que j'ignore son identité.

Mike Kringel raconta par le menu la réunion chez les Pluttkorten. Il évoqua le récit de la charmante vieille dame et leur décision d'essayer sa recette sur Eberhardt.

Eberhardt, quant à lui, révéla à Mike comment il avait découvert la supercherie.

158

— Tu crois que Laura m'aime et qu'elle me pardonnera ?

— J'en suis sûr. Il suffit d'ailleurs de le lui demander. Tant pis si nous la réveillons. Elle aura tout le temps de dormir plus tard.

Les deux amis montèrent à l'étage, suivis par Arco. Arrivés devant la porte de son appartement, ils eurent un moment d'hésitation. Il n'était pas très délicat de faire irruption chez elle en pleine nuit.

Ils frappèrent à la porte, doucement d'abord, puis plus fort. Ils finirent par l'appeler en tambourinant contre le battant. Arco, pour ajouter au vacarme, se mit à aboyer.

Aucune réaction. Mike se décida à ouvrir la porte. Ils entrèrent. La chambre était vide.

Eberhardt s'affala dans un fauteuil et se prit la tête entre les mains, désespéré.

— Elle était au courant de tout. Je suis allé trop loin.

— Ne raconte pas de sottises, Eberhardt. Il ne faut pas dramatiser. Je suis sûr qu'elle est allée chez moi. Nous allons l'appeler.

Ils lui téléphonèrent mais personne ne répondit. Laura se trouvait toujours dans l'hôtel du géant.

— Je rentre à la maison, dit Mike. Je suis sûr qu'elle ne veut pas répondre. Je t'appellerai dès que je serai arrivé.

Eberhardt l'accompagna jusqu'à sa voiture. En sortant, ils aperçurent Fritz Meerkamp qui traversait la cour.

— La jeune demoiselle est partie, dit-il.

— Pourquoi ne m'avez-vous pas averti plus tôt ? demanda Eberhardt.

Meerkamp regarda son patron. Il le considérait toujours comme le petit garçon qui pleurait quand son cerf-volant lui échappait des mains ou qu'un poulain mourait.

— Cela ne me regarde pas. C'est votre affaire, répondit-il.

Rentré chez lui, Mike appela Eberhardt. Laura restait introuvable.

— Elle n'est ni chez moi ni chez les Pluttkorten. Je viens de m'en assurer.

— Il faut avertir la police !

Eberhardt commençait à perdre son sang-froid.

— Ne sois pas ridicule. Laura n'est pas une gamine. Elle est peut-être rentrée à Berlin.

Eberhardt poussa un soupir.

— Nous voilà dans de beaux draps !

Il était effondré. Il se mit à arpenter son bureau. Puis il s'assit à sa table de travail et regarda l'endroit où Laura avait disposé le vase et l'orchidée.

« Je viens de tout détruire. J'ai blessé Laura et maintenant, il est trop tard... »

Pourtant, Eberhardt ne voulait pas renoncer à elle. Il appela les Pluttkorten. Ce fut Amélie qui répondit.

— Allô, ici madame von Pluttkorten.

— Excusez-moi, chère madame, Eberhardt Bercken à l'appareil. Je crois que mon ami, le Dr Kringel, vous a déjà appelée au sujet de sa sœur. Vous êtes au courant de cette histoire. Je me demande où elle peut être allée. Je suis inquiet.

— Cher monsieur von Bercken, répondit-elle, je ne sais pas où elle se trouve, mais je viens de lui parler.

Eberhardt respira. Jamais aucune nouvelle ne lui avait fait autant plaisir.

— Ecoutez-moi, monsieur Bercken. Laura souhaite venir passer quelques jours chez moi. Elle a besoin de prendre du recul, de réfléchir et de se retrouver. Je lui parlerai de vous, je vous le promets. Ne prenez aucune initiative.

— Je dois lui parler !

— Bien sûr, monsieur Bercken, mais plus tard. Ayez un peu de patience et faites confiance à la vieille femme que je suis : les grandes choses prennent du temps. Il ne faut rien précipiter. Suivrez-vous mon conseil ?

Eberhardt toussota.

— Bon, c'est d'accord, j'attendrai que vous me fassiez signe.

Mike fut soulagé d'apprendre que sa sœur allait se rendre chez les Pluttkorten. Tout content, il téléphona au domaine de Pluttkorten. Il eut Amélie.

— Pourrais-je parler à votre petite-fille, chère madame ?

Renate prit la communication.

— Vous m'en voulez ?

— Non. Et vous ?

— Encore un peu. Voulez-vous passer me voir,

161

Renate ? Je vous promets que cette fois vous n'aurez rien à redire à mon comportement.

— D'accord, Mike, je viens.

Elle avait craint d'être allée trop loin dans la plaisanterie.

Elle mit son plus joli tailleur, un tweed avec un col de fourrure, et un pull angora rouge vif qu'elle venait d'acheter. Renate se sentait optimiste.

Mike l'accueillit dans une tenue inattendue : il portait un peignoir gris clair, en soie naturelle, avec ses initiales brodées sur la poitrine. Aux pieds, des pantoufles. Il avait les cheveux en bataille. On aurait pu croire qu'elle le tirait du lit.

— Renate ! Je ne sais plus très bien si nous nous tutoyons ou si nous nous vouvoyons, mais je m'en remets à vous... ou à toi, c'est à vous de choisir.

Renate eut un mouvement de recul.

— En voilà une tenue !

— Je ne vous plais pas ? Entrez donc, je vous en prie.

Renate entra avec réticence. Mike souriait . il avait laissé la porte de sa chambre à coucher grande ouverte. Il la fit entrer dans la salle de séjour et l'installa sur le canapé.

Il alluma, regarda Renate, ferma l'une après l'autre les persiennes et prit un flacon qu'il vaporisa tout autour du canapé.

Renate le regardait faire. Il alla ensuite vers le pick-up et mit le *Boléro* de Ravel.

— Je sais, chère Renate, j'ai eu une réaction stupide l'autre jour. J'avais oublié comme les femmes modernes peuvent être actives et dynamiques. Que voulez-vous, je n'ai pas assez d'expérience. Aujourd'hui, je m'efforcerai de m'adapter à la situation. Voyez, je suis vos conseils. Et maintenant, je suis à votre entière disposition !

— Vous êtes fou !

— Qu'ai-je donc oublié ? Ah oui ! Je sais.

Il s'assit à côté d'elle en répétant :

— Je suis à votre entière disposition.

Une porte claquait. Une voiture démarra en trombe. Renate s'enfuyait.

Mike se leva, se rhabilla en sifflotant. Il était ravi.

Elle lui avait joué un méchant tour. Il avait pris sa revanche. Ils étaient quittes.

Pourtant, il n'était plus très sûr de lui. Il avait pris sa revanche, c'était sûr, mais Renate était partie.

Elle devait lui en vouloir...

Eberhardt ne se sentait pas vraiment malheureux, pas très heureux non plus. Il ne savait plus où il en était et il espérait la fin de cette attente interminable.

« Elle viendra, j'en suis sûr. Elle viendra ici et restera avec moi. Je ne supporte plus la solitude et je n'ai pas envie de passer un nouvel hiver solitaire. J'ai besoin de toi, Laura, j'ai tellement besoin de toi ! »

Il aurait pu tenter de rappeler les Pluttkorten, son amour-propre le lui interdit.

Il exigea de ses employés que le domaine de

Bercken fût prêt à l'accueillir. Eberhardt ne voulait pas être pris au dépourvu.

— Madame Paulsen, il faut des fleurs dans chaque pièce, partout. Placez une orchidée sur mon bureau. Faites nettoyer la maison de fond en comble. Et tenez-vous prête à improviser un repas de fête. Que diriez-vous d'un rôti de chevreuil à la confiture d'airelles ? Veillez aussi à disposer des fleurs dans la chambre de la demoiselle...

Mme Paulsen le regarda d'un air soupçonneux.

— Quel luxe ! Ça va ressembler à une *fiale* du palais de Buckingham.

Eberhardt ne put s'empêcher de sourire.

— Ce n'est pas du luxe, madame Paulsen, c'est un plaisir, voilà tout. Et croyez bien que je ne tiens pas à ce que Bercken devienne une *filiale* du palais de Buckingham.

Mme Paulsen eut le dernier mot, comme toujours.

— De toute façon, il vous faudrait une reine !

« Du chevreuil à la confiture d'airelles ! Comme si un bon beefsteak aux champignons ne faisait pas l'affaire ! »

8

Mike essaya bien de reprendre son flirt avec la petite rousse de la Caisse d'Epargne, mais cela ne lui disait plus rien.

Il se plongea donc dans son travail, sans oublier son projet de vacances à Gran Canaria. Il avait besoin de changer d'air...

« Des visages nouveaux, quelques rencontres : voilà ce qu'il me faut! pensait-il. Je ne vais pas me laisser mener par le bout du nez par cette Renate von Sorppen. Elle est ravissante et a une bien jolie silhouette... Je ne crois plus beaucoup à mes chances... Elle ne m'a plus fait signe. »

Il ne cessait de penser à elle, un fait nouveau dans la vie du Dr Kringel!

De gros nuages bas chargés de pluie avaient fait remonter la température. Les arbres et les buissons se couvrirent de bourgeons. Les oiseaux se mirent à chanter l'arrivée du printemps. Les corbeaux croassaient à qui mieux mieux, chassant les merles du jardin de Mike.

Mme Lange, la femme du propriétaire du cinéma, sonna. Elle portait sous le bras son affreux cabot. Mike poussa un soupir découragé.

Daisy — c'était le nom du cabot — ne partageait pas l'amour immodéré que sa maîtresse vouait au Dr Kringel. Elle ne cessait d'essayer de le mordre. Daisy était pour sa maîtresse un prétexte pour lui rendre visite à son cabinet...

— Madame Muller, dites-lui que je suis parti pour une urgence.

— Je n'aime pas mentir, docteur.

— Même si c'est pour moi ?

— Seulement dans les cas de force majeure...

— Et dans le cas présent, de quoi s'agit-il, à votre avis ?

— Je reconnais que nous nous trouvons devant un cas de force majeure !

Mike entendit Daisy japper dans la salle d'attente. Le téléphone sonna. Mike craignit qu'il ne s'agît d'une urgence, bien réelle celle-là. Alors il serait pris à son piège.

— Allô ? Ici le docteur Kringel.

— Amélie von Pluttkorken. Mon cher docteur Kringel... je voudrais vous annoncer quelque chose...

Amélie commençait à se lasser de cette histoire qui l'avait amusée au début. Elle se retrouvait avec deux jeunes femmes mélancoliques sur les bras...

Renate, plongée dans ses manuels de droit, ne

cessait d'annoncer son intention de rentrer à Munich, mais ne partait jamais.

Et Laura, pâle et l'air abattue, semblait avoir perdu tout son allant. Un matin, elle avait avoué son intention de se rendre à Bercken.

— Je ne peux pas continuer d'emprunter les vêtements de Renate, ils sont trop petits pour moi.

— Ne précipitons pas les choses, dit Amélie. Tout s'est bien passé jusqu'à présent. Il faut avoir de la patience, mon enfant. Eberhardt von Bercken veut une femme digne de lui. Eberhardt vous faisait marcher depuis le début. Cette fois, c'est à vous de remporter le round, sinon ce petit jeu perdra tout son sens. Voulez-vous me faire confiance ?

Laura l'embrassa.

A Renate, Amélie avait tenu un autre discours :

— Déjà, quand tu étais gamine, je ne savais pas ce qui se passait dans ta tête. Ce Casanova de vétérinaire te préoccupe. Il est charmant, je l'admets. Et si tu me mettais dans le secret ?

— Grand-mère, je suis vraiment très embarrassée, dit-elle. Je vais retourner à Munich et tout s'arrêtera là.

Amélie lui répondit d'un ton sec :

— Comme tu voudras, Renate. Mais cette fois, ne te contente pas d'en parler : fais-le. As-tu réservé ton billet d'avion ?

— Tu me mets à la porte ?

— Non, je souhaite que tes actes concordent avec tes paroles.

Renate essuya une larme.

— Le problème, c'est que je suis amoureuse de ce sale coureur !

— Mais amoureuse au point de perdre l'avantage, c'est bien ça ?

— Il ne manquerait plus que ça ! Je n'ai pas envie de faire partie de sa collection. Et c'est ce qui arriverait si je lui cédais.

Amélie von Pluttkorten regarda sa petite-fille.

— Dans ce cas, fais ta valise, Renate. Je suppose que M. Düsing acceptera de t'emmener à l'aéroport si tu le lui demandes.

— Non, je préfère prendre un taxi.

Sa grand-mère fronça les sourcils.

— Tu as les moyens !

— Je ferai des économies une autre fois, voilà tout.

— Et tu peux m'expliquer comment tu t'y prendras ?

— Je renoncerai à cette paire de bottes que je voulais m'offrir.

— Magnifique ! Et maintenant, occupe-toi de ton billet.

Lorsque Laura apprit que Renate voulait quitter Pluttkorten, elle en fut très affectée. Elle dit à Amélie :

— Je vais partir, moi aussi. Vous avez été très gentille de me recevoir et de m'héberger ainsi, mais il vaut mieux que je m'en aille. Je passerai chez mon frère avant de partir. Il n'est malheureusement plus question d'ouvrir un cabinet de

168

conseil fiscal à Engenstedt, après ce qui s'est passé. Je conduirai Renate à l'aéroport.

Amélie intervint :

— Mon Dieu, ma chère Laura, vous n'allez pas faire ça, je vous en prie ! Racontez n'importe quoi, que votre voiture est en panne ou que sais-je... Oh, je sais ce que tu penses, Wilhelm. Nous n'en sommes plus à un petit mensonge près...

Laura regarda la vieille dame en se demandant ce qu'elle avait inventé.

— Vous voulez dire... que... que pour Mike et Renate... enfin, que vous n'avez pas perdu tout espoir de réconcilier ces deux têtes de bois ?

— Les têtes de bois sont une chose, répondit Amélie, l'amour en est une autre. Alors c'est d'accord ? Je peux compter sur vous ?

Laura sourit.

— Evidemment.

Et Laura prit un air désolé pour expliquer à son amie Renate qu'elle ne pouvait pas la conduire à l'aéroport. Sa voiture était en panne...

Laura et les grands-parents Pluttkorten regardèrent démarrer le taxi de Renate. Le régisseur arriva. Il venait de donner à manger aux oies et se précipita pour saluer Renate, en oubliant de refermer la porte de l'enclos. Les oies se précipitèrent dans la cour et poursuivirent le taxi en battant des ailes et en poussant des cris.

Ce fut un départ mouvementé et bruyant.

La voiture s'éloignait. Tout avait si bien commencé et ils avaient eu tant d'espoirs. Mais les rêves s'écroulaient. Même Amélie von Pluttkorten ne pouvait plus faire grand-chose.

Pourtant, Amélie et Wilhelm von Pluttkorten n'avaient pas l'air affligés par la tournure des événements. Ils avaient assisté sans broncher au départ de leur petite-fille, puis ils s'étaient regardés et avaient éclaté de rire. Ils étaient ensuite rentrés dans la maison. Ils se connaissaient si bien qu'ils n'avaient plus besoin de parler pour se comprendre.

Amélie prit le téléphone et composa un numéro.

— Allô? Amélie von Pluttkorten. Mon cher docteur Kringel... je voudrais vous annoncer quelque chose...

— Je vous écoute, dit Mike.

— Ma nièce vient de partir pour l'aéroport. Elle avait l'air très abattue. Je suppose qu'il lui est arrivé quelque chose de désagréable. Elle veut rentrer à Munich, et comme vous vous entendiez bien tous les deux, en tout cas, c'est l'impression que j'ai eue, j'ai pensé que vous pourriez peut-être... Enfin, je veux dire qu'un jeune homme tel que vous est plus à même que moi de consoler une jeune femme qui a du chagrin. Si donc vous pouviez... C'est à Hanovre-Langenhagen...

Mike s'excusa et raccrocha. Il cria à son assistante en quittant son cabinet :

— Madame Muller, j'ai une urgence!

Il s'engouffra dans sa voiture. Elle consentit à démarrer après cinq tentatives. Mike s'énervait. Il dut s'arrêter à un passage à niveau fermé, pour se retrouver ensuite coincé par un convoi militaire. Il lui fallut encore attendre qu'un énorme poids lourd qui roulait au plus à dix kilomètres à l'heure réussît à en doubler un autre dans une côte. A peine eut-il dépassé les poids lourds qu'il tomba sur un bouchon d'un kilomètre.

Après, la route était enfin dégagée et il fonça pied au plancher. La pauvre voiture haletait et pétaradait de façon lamentable. Un motard de la police arrêta Mike pour excès de vitesse et lui fit payer une amende...

Il parvint enfin à l'aéroport. Mike se précipita vers le guichet d'enregistrement. Les passagers à destination de Munich se trouvaient déjà dans la salle d'embarquement.

Mike se rua vers le guichet d'information. A sa demande, une hôtesse fit l'annonce suivante :

— Mademoiselle Renate von Sorppen est priée de se présenter au guichet d'information.

Mike s'était effondré sur un siège, épuisé. Il n'avait plus l'air d'un don Juan...

Il regardait la porte où il espérait la voir apparaître. Une petite voix dit dans son dos :

— Mike...

Il se retourna. C'était Renate ! Il ne sut que lui dire :

— Pourquoi n'as-tu pas fait enregistrer ta valise ?

— Je n'arrivais pas à me décider à partir...

— Les passagers à destination de Munich sont priés de se présenter à la salle d'embarquement.

171

Mike et Renate ne l'entendirent pas. Ils étaient en train de s'embrasser.

— Si tu continues, tu vas rater ton avion.

— J'en prendrai un autre, voilà tout !

Ils se regardèrent en riant.

— Je peux déjà t'annoncer la destination ! dit Mike. Nous allons réserver un bungalow à Gran Canaria. Je ne veux plus partir en vacances qu'accompagné par cette ravissante femme, *ma* femme. Enfin... si elle est d'accord.

— Et qu'en diront toutes les autres ravissantes femmes qui devront renoncer à toi ?

Mike prit un air supérieur pour répondre :

— Il faudra qu'elles se fassent une raison. Elles ont toutes eu leur chance. Tant pis pour elles si elles n'ont pas su en profiter !

— Moi, je saurai en profiter ! Je suis si heureuse, Mike.

Mike l'embrassa à nouveau. Ce baiser qui n'en finissait plus fut interrompu par des sifflements. Trois garnements, plantés devant eux, riaient en lançant des plaisanteries :

— C'est beau, l'amour !

Mike rit à son tour et répondit au gamin :

— Tu as bien raison ! Je viens tout juste de m'en rendre compte. Viens, Renate, ma chérie. Nous avons une foule de choses à faire. Il faut nous occuper des préparatifs de notre mariage.

Ils se dirigèrent vers la voiture. Mike portait la valise de Renate.

— Nous pourrions demander à Laura et à

Eberhardt d'être nos témoins, qu'en penses-tu ?
dit Renate.

Mike prit un air sombre.

— Je ne crois pas que ce sera possible. Ils sont
comme chien et chat, tous les deux.

Cette fois, la voiture démarra du premier coup.

— On dirait que même ma voiture t'a adoptée !

Eberhardt von Bercken, quant à lui, n'en
menait pas large.

« J'ai perdu Laura. Et Mike ne bouge pas le
petit doigt pour m'aider. Mme von Pluttkorten se
contente de me faire patienter... Personne ne
demande son avis à l'intéressée. En fait, nul ne
veut nous donner notre chance. »

Il était en colère.

— Ça suffit, maintenant, j'en ai assez ! Je vais
aller la trouver. Je ne veux plus me laisser
manipuler comme une marionnette ! Mme Pluttkorten joue au chat et à la souris avec moi. Elle
désire se venger, parce que je ne suis pas allé à sa
soirée. Je ne la croyais pas aussi rancunière ni
aussi mesquine.

Il se leva et monta dans sa chambre. L'ancien
appartement de Laura se trouvait dans l'autre
aile de la maison. Comme toujours depuis le
départ de Laura, il se sentait attiré par cet
endroit. Il espérait que l'atmosphère aurait gardé
un peu de son parfum. Son parfum, c'était tout ce
qui lui restait d'elle.

Eberhardt s'habilla avec soin : costume gris,
cravate, chaussures noires et chaussettes assor-

ties. Il se regarda mais ne se plut pas. Il était accoutré comme un prétendant qui vient demander la main de sa belle. Il se déshabilla et mit ses vêtements ordinaires, qui lui allaient bien. Eberhardt démarra en trombe.

Laura, de son côté, avait enfin pris une décision. Eberhardt von Bercken n'était ni un enfant ni une petite nature. Sa passivité prouvait qu'il ne s'intéressait pas à elle. Ce n'était pas un hasard s'il avait vécu seul aussi longtemps. Il devait se contenter d'une aventure de loin en loin. Le reste du temps, il préférait demeurer tranquille dans son coin. Il fallait se faire une raison.

Laura frappa à la porte du salon de Mme von Pluttkorten. Amélie était plongée dans sa lecture favorite : *La vie d'un propre à rien* de Eichendorff. Elle en possédait un exemplaire orné de nombreuses illustrations. Elle lui dit avec tristesse :

— C'est décidé, je rentre à Berlin. Je crois que je vais m'établir à mon compte. Dans une grande ville comme Berlin, on n'a pas à redouter les rencontres désagréables. Ici, je ne pourrais éviter éternellement M. von Bercken...

— A votre place, je n'en ferais rien, répondit Amélie.

Laura n'était pas convaincue.

— C'est ce que j'ai de mieux à faire, au contraire. Je me ferai envoyer mes affaires du domaine de Bercken à Berlin. Mme Paulsen m'aimait bien, elle me rendra volontiers ce petit service.

Laura s'efforçait de parler posément. Parfois, sa

voix tremblait. Elle remercia Amélie et Wilhelm von Pluttkorten de leur hospitalité et alla préparer ses affaires. Lorsqu'elle quitta le domaine, les oies restèrent silencieuses. Ce fut un départ discret.

Eberhardt aurait dû la croiser en chemin, mais Laura fit un détour.

Eberhardt arriva au domaine de Pluttkorten quelques minutes après elle. Une femme de chambre lui demanda qui elle devait annoncer. Il cria, hors de lui :

— Bercken! Je voudrais parler à Mme von Pluttkorten!

— Voulez-vous vous asseoir un instant, Madame est...

— Il n'est pas question de m'asseoir!

Eberhardt hurlait. Alertée par le tapage, Amélie apparut.

— Oh! Monsieur von Bercken, je viens tout juste d'essayer de vous appeler.

Elle le regarda. Il ne se contrôlait plus, mais il avait des raisons d'être furieux. Amélie se sentait fautive.

— Laura vient de partir, dit-elle. Elle voulait retourner à Berlin. Rien n'est encore perdu, monsieur Bercken.

— Quand est-elle partie?

— Il y a quelques minutes à peine.

— Et elle rentrait à Berlin, disiez-vous? N'est-elle pas passée chez Mike?

— Il n'était pas chez lui et elle a décidé de rentrer directement. C'est-à-dire...

175

— Oui ?...

— Je crois qu'elle m'a parlé d'une personne à qui elle voulait dire au revoir avant de partir... Il s'appelait... Il s'appelait...

— Dannyboy !

Wilhelm venait d'entrer.

Eberhardt n'hésita pas.

— Dannyboy !

Il éclata de rire, tourna les talons et sortit en courant, en oubliant de prendre congé...

Dannyboy ! Il savait où la trouver. Il roula à nouveau à vive allure, s'arrêta au bord d'un pré, descendit et marcha jusqu'à ce qu'il pût la voir.

Elle se tenait debout dans le champ. Elle avait passé les bras autour de l'encolure du cheval. Elle pleurait. Dannyboy semblait nerveux.

Laura ne voyait pas Dannyboy. Elle croyait embrasser les naseaux de Luxor, son cheval. Elle aperçut Eberhardt, à côté d'elle, qui la regardait.

— Il m'est déjà arrivé de rêver de Luxor et de toi, dit-elle.

— Cette fois, tu ne rêves pas, ma chérie. Tu sais bien que les rêves que nous inspire le destin sont toujours vrais !

Laura sembla s'éveiller. Elle regarda Eberhardt. Ses yeux brillèrent. Il s'agissait bien de Luxor.

— Veux-tu m'expliquer ce que Luxor fait ici ?

— Je l'ai fait venir de Berlin. Tu m'avais dit chez qui il se trouvait à Lübars. Je n'ai eu aucun mal à le retrouver. Les braves gens auxquels tu l'avais confié m'ont fait confiance. Ils m'ont envoyé Luxor. Je voulais te faire la surprise.

— Pour une surprise, c'est une surprise ! Je suis si heureuse !

— Seulement à cause de Luxor ?

— Non. Pour tout, Eberhardt.

Il s'approcha d'elle et donna une tape à Luxor qui galopa vers les autres chevaux.

Eberhardt attira Laura à lui et la serra dans ses bras.

— Moi aussi, je suis heureux, Laura. Tu es tout ce que je veux.

Il l'embrassa. Les joues de Laura, ses paupières avaient le goût des larmes. Il pressa sa bouche contre la sienne, et cette fois, elle ne résista pas.

Ils restèrent enlacés, immobiles. On tirait Eberhardt par la manche.

C'était Dannyboy qui cherchait à prendre avec sa bouche un sucre dans la poche de son maître. Les autres chevaux s'étaient aussi approchés. Luxor donnait des coups de tête.

— Plaisantins que vous êtes ! dit Eberhardt. Vous ne pouvez pas nous laisser nous embrasser !

Il trouva dans ses poches de quoi satisfaire leur gourmandise. Laura fit de même.

Ils retournèrent ensemble à Bercken. Le dernier nuage disparaissait à l'horizon et le soleil brillait. Les oiseaux pépiaient dans les sapins de l'allée.

— J'aime cet endroit, dit Laura.

— Tout cela est à toi, mon amour : le parc, la forêt, les animaux, la maison... Et moi, bien sûr.

Il la porta pour monter les marches du perron et ils passèrent ainsi le seuil de la porte. Mme Paulsen se trouvait dans le vestibule. Elle s'écria en faisant tomber son plumeau :

— Ah! ben ça alors! J'en suis toute *conservée!*

— *Consternée,* vous voulez dire, madame Paulsen.

— Je vous avertis : pour le repas de noces, il me faut de l'aide à la cuisine!

Arco arriva en bondissant pour faire fête à Laura. Eberhardt et Laura ne lui prêtèrent pas toute l'attention nécessaire. Arco, dépité, se recoucha à sa place favorite, sous le bureau d'Eberhardt.

— Nous devrions appeler Mme Pluttkorten, dit Laura. C'est grâce à elle que nous avons pu nous retrouver.

A nouveau, Laura entra dans le bureau. Il y avait des fleurs partout et, sur la table, une seule orchidée blanche, à peine tachetée de mauve.

— Votre fleur, dit-il.

Laura téléphona à Mme Pluttkorten qui attendait cet appel avec impatience.

— J'espère que vous viendrez à notre mariage avec votre mari, dit Eberhardt.

Laura ajouta :

— Je vous ai causé tant de soucis, chère madame Pluttkorten. Comment vous remercier pour tout ce que vous avez fait pour moi?

— Oh, je n'ai pas fait grand-chose, mon petit, répondit Amélie von Pluttkorten. En revanche,

j'ai appris que, si les modes passent, les sentiments sont immuables. Rien d'important n'a
vraiment changé depuis l'époque où mon cher
Wilhelm m'a épousée...

Cet ouvrage a été composé par Bussière
et imprimé par S.E.P.C., à Saint-Amand
pour le compte de FLAMME
27, rue Cassette, 75006 Paris
diffusion France et étranger : Flammarion

Achevé d'imprimer le 3-1-1986

Dépôt légal : janvier 1986
N° d'édition : 2128. N° d'impression : 2838-1767.

Imprimé en France